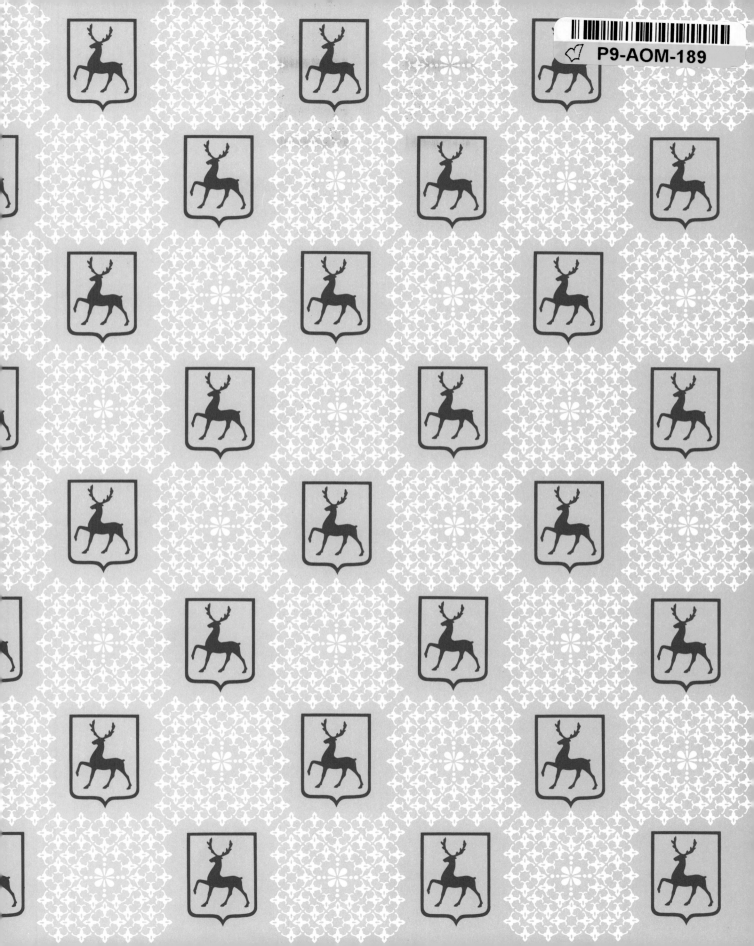

Ю.Адрианов
В.Шамшурин

СТАРЫЙ НИЖНИЙ

Историко-
литературные
очерки

Нижний Новгород · 1994

ББК 63.3 (2РОС—4НН)
А 32

Оформление и оригинал-макет
художников В.Кременецкого и В.Кременецкого мл.

Фотографии
В.Бородина, Н.Машкова, С.Яворского

В книге использованы рисунки заслуженного архитектора России лауреата
Государственной премии России С.Агафонова, предоставленные автором,
фотографии А.О.Карелина и М.П.Дмитриева из фондов Государственного архива
Нижегородской области

Спонсоры издания
Нижегородпромстройбанк, НКБ-Прогресс,
АОЗТ Нижегородская зерновая компания «Линдек»,
предприятие «Волготрансгаз»,
Нижегородский областной союз потребительских обществ,
объединение «Н.Новгороднефтепродукт»,
А/О завод «Теплообменник»,
АОЗТ «Турист»

Адрианов Ю.А., Шамшурин В.А.
А 32   Старый Нижний: Историко-литературные очерки. — Нижний Новгород:
         СММ, 1994. — 240 с.: ил.
         ISBN 5-86531-007-0

А $\frac{4702010206-017}{4Ф3(03)-94}$ ББК 63.3 (2РОС-4НН)

ISBN 5-86531-007-0

Я приветствую выход в свет этой книги нижегордских авторов. Уверен, что в судьбе нашего великого города есть очень много интересного, достойного внимания всех граждан России.

I welcome this book written by our Nizhegorodian authors. I am sure the history of our great city has a lot of interesting things worthy of the attention of all the citizens of Russia.
Best wishes to the authors and readers.

Boris Nemtsov. Governor or Nizhny Novgorod Region

С наилучшими пожеланиями авторам и читателям,

губернатор   Б.Немцов

Нижний Новгород, один из красивейших городов России, за свою долгую историю оказался сопричастен многим великим событиям, повлиявшим на судьбу государства. Здесь Минин собирал ополчение, Петр I строил флот для похода на Азов, сюда, в Нижний привозили товары купцы Китая и Персии, здесь жили великие люди — Н.Лобачевский, М.Балакирев, М.Горький... Как и в других старых русских городах, в Нижнем Новгороде остались улицы и переулки, отдельные здания и целые районы, избежавшие позднейших перестроек и переустройств. Именно они придают городу характерный облик, создают атмосферу его пространства. Эти улицы и переулки, дома, церкви, памятники — это все «старый Нижний», любимый нижегородцами.

Так уж сложилась моя судьба, что я оказался в ответе за исторический центр Нижнего Новгорода — «старый Нижний». Книга, которую вы сейчас держите в руках, подготовлена по предложению администрации Нижегордского района. Мы, инициаторы и участники этого издания, гордимся своим городом, людьми живущими в нем, их творениями и достижениями. Очень надеюсь, что эта книга поможет гостям города узнать и полюбить Нижний, а нижегородцам напомнит о великой судьбе «Новгорода Низовской земли».

All throush its long history Nizhny Novgorod, a most beautiful Russian city, saw a great deal of outstanding events crucial for the destiny of the State. It was here that Kozma Minin assemled his People's Army and Peter the Great built his fleet fof the Azov raid; it is to thls city that Chinese and Persian merchants brought their goods; it is here that some great Russians lived — N. Lobatchevsky. H. Balakirev, M. Gorky... Just like some other old Russian cities. Nizhny Novgorod has kept quite a number of streets and lanes, separate buildings and whole districts intact from later reconstruction. It is those streets and houses that render the city its peculiar charm, create the specific atmosphere of its life. Those streets, lanes, edifices, churches, monuments — all of this is «the Old Nizhny» of which Nizhny Novgorod citizens are so fond. It befell me to be honoured with responsibility for preservation of the historical centre of Nizhny Novgorod — «the Old Nizhny». The book you afe now holdlna !n your hands has been !n!tlated by the Administration of Nizhegorodsky District. We, contributors and sponsors of this edition, are proud of our city, its people and their great achievements and creations. I do hope this book will help our guests to get acquainted with Nizhny Novgorod and come to love it while its citizens will be reminded of the great destiny of «the New Ci y of Lower Lands» — Nizhny Novgorod.

А.Сериков,
глава администрации
Нижегородского района
Нижнего Новгорода

Alexander Serikov,
Head of Administration of Nizhegorodsky District,
the City of Nizhny Novgorod

ВОЗВРАЩЕНИЕ К ИСТОКАМ

Как широкой волжской окатной волной на рассветной заре плеснуло — Нижний Новгород.

Как вольным ветром раздольных российских пространств опахнуло — Нижний Новгород.

Как вдох и выдох крутой и упругой богатырской груди — Нижний Новгород.

Как гулкое эхо от малинового перезвона дальних колоколов — Нижний Новгород.

Как извечное ворожейно неотвязное заклинание, как зарок и зов — Нижний Новгород.

Нижний Новгород. Старина и новь. Легенда и быль. Духовная опора и обжитой отчий дом.

Есть в облике нашего города, вставшего на пересечении двух голубых дорог, двух песенных рек — Волги и Оки, не только привлекательность сохранившегося природно-исторического своеобразия, но и державная величавость. Недаром на древних кручах правобережья, что помнят первых поселенцев, как бы сами собой приходят на ум восторженные слова художника Ильи Ефимовича Репина:

«Этот царственно поставленный над всем востоком России город совсем закружил наши головы. Как упоительны его необозримые дали! Мы захлебывались от восхищения ими, и перед нашими глазами вставала живая история старой Руси, люди которой, эти сильные люди хорошей породы, так умели ценить жизнь, ее теплоту и художественность. Эти не любили селиться где-нибудь и как-нибудь...»

Известно несколько преданий о заселении высоких лесистых холмов у слияния Оки и Волги русскими людьми. Холмы эти, прорезанные крутыми оврагами, издревле назывались Дятловыми горами. Может быть, название произошло оттого, что обнаженные с береговой стороны кручи сложены из слоев красной и белой глины и мергелей с черными прожилками и напоминают раскраску пестрого дятла. А может, название породила легенда.

7

Согласно ей, первым обосновался на прибрежных кручах некий сноровистый мордвин-язычник. Народилось у него от восемнадцати жен семьдесят сыновей, вот и пришлось ему строить хижину за хижиной, неустанно стуча топором с утра до вечера, за что прозвали его Дятлом. Отсюда — и название гор.

У легенды есть продолжение. Как-то раз, уже после смерти Дятла, поссорились его сыновья, пустили в ход кулаки. В ту пору плыл на струге по Волге русский князь, заметил на горах мельтешение. Угодливые воеводы поведали, что это мордва ему холщовыми рукавами машет — приветствует, просит дары принять. Отправил князь к мордве посланца. Занятым распрей сыновьям Дятла недосуг было вникать, почему от них требуют даров: набросали в корзину еды, наполнили кувшин медовухой, с чем и отослали на берег быстроногую ребятню. Мальчишки по пути наугощались сами, а к стругу доставили в корзине землю и в кувшине родниковую воду. Сильно разгневался князь. Но воеводы тут же растолковали ему, что дороже подарка не может быть: земли и воды свои мордва во владение князю жалует. Поплыл довольный князь дальше. Где кинет на берег горсть земли из корзины — там городу стоять, где щепотку бросит — селу быть. А где водой из кувшина польет — там купцам плавать, красным товаром торговать. Больше всего земли просыпалось и воды пролилось, когда мальчишки корзину и кувшин на струг заносили. У того места, на Дятловых горах, и вырос Нижний Новгород — купеческая столица.

Вот такая бытовала в старые годы легенда, передавалась из уст в уста.

Но она — не документ, хотя и понятно, что «сказка ложь, да в ней намек».

Летопись же сообщает кратко: «Лета 6729 (1221 год) князь великий Юрий Всеволодович заложил град на усть Оки и нарече имя ему Новгород Нижний».

Юрий Всеволодович — сын Всеволода Большое Гнездо, внук основателя Москвы Юрия Долгорукого, правнук Мономаха. Как тогда было принято в княжеских семьях, трех лет Юрия посадили на коня, а в девятнадцать он уже возглавил военный поход — было это в 1208 году. Через четыре года составившийся отец, умирая, завещал Владимиро-Суздальское княжество не старшему сыну Константину, с которым не мог ужиться, а добродетельному и осмотрительному Юрию. Затаил обиду Константин, и через несколько лет представился ему случай посчитаться с братом, разбитым в междоусобном сражении под Липицей. Юрий был согнан с великокняжеского престола и отправлен в ссылку на самый край Владимиро-Суздальской Руси — в Городец на Волге. Тревожной была здесь жизнь, и дозорщики не дремали на степах и сторожевых вышках, чтобы во всякую минуту успеть поднять сполох вестовым колоколом, упреждая нападение врага. Угроза исходила с низовий, от волжских болгар, и заставляла думать об укреплении восточных рубежей великого княжества. Снова придя к власти после смерти Константина, Юрий Всеволодович заложил город-крепость в устье Оки.

Прекрасные белокаменные церкви были построены в княжество Юрия, благо нашлись непревзойденные мастера, не посрамившие владимиро-суздальской школы зодчих, чье искусство просияло в храме Покрова на Нерли. Князь поощряет художества и особенно печется о благоустройстве городов. Недобрая весть о разгроме объединенной рати южных русских княжеств монголо-татарами в 1223 году на Калке не насторожила его: не к Оке и Клязьме враг подступал, потому и беспокоиться нечего. Никому не дано было предвидеть гибельной напасти.

Еще вовсю стучат плотницкие топоры в Нижнем Новгороде. И недалеко от возведенного кирпичного Спасо-Преображенского собора (1225) умелые каменщики споро паращивают стены Архангельского собора (1227-1230), сооружаемого на месте старого деревянного. Но, оказавшись в Нижнем в разгар строительной страды, не забывает поставленный великим князем воеводой Еремей Глебович о ратных заботах. И не ошибается. Потому-то в решительный час именно ему будет дан наказ собирать из нижегородцев сторожевой полк, который спешно отправится на рязано-владимирскую границу, чтобы первым вступить в столкновение с врагами из далеких земель. Это произойдет в январе 1238 года. Схватившись с туменами хана Батыя под Коломной, на поле боя полегли многие нижегородцы вместе с подошедшими к ним на помощь владимирцами и муромцами. Вскоре враги взяли штурмом Владимир и Суздаль, а сам Юрий Всеволодович, собиравший новое войско на севере княжества, вступил с ними в схватку на реке Сити. Оказавшись в кольце врагов, он погиб смертью героя. Полной тревог и жестоких испытаний была жизнь великого князя, которую он принес на алтарь Отечества. Православная церковь причислила великого князя Юрия к лику святых.

В 1889 году, когда торжественно отмечалось семисотлетие со дня рождения Юрия (Георгия) Всеволодовича, ему — основателю Нижнего Новгорода, святому благоверному великому князю — был посвящен гимн, созданный М.А.Балакиревым на слова А.В.Лихачева.

> С выси княжьего престола,
> Правя родиной своей,
> Ты предстал ей, величавый,
> В блеске солнечных лучей;
> На защиту отчей веры
> Грозный меч ты обнажил
> И, осиленный врагами,
> В битве голову сложил.
> Ряд веков, как ты почиешь,
> Но и вплоть до наших дней
> Благодать на нас исходит
> От святых твоих мощей:
> Не оставь же нас молитвой,
> Дабы царь небесных сил
> Град, основанный тобою,
> Возлюбив, благословил.
> Слава Новгороду Низовской земли!
> Слава великому князю Георгию!

И к прошлому, и к будущему обращено это величание, соединяющее времена.

Теменью ветхого колодца порой кажется глубь веков, где затеряны многие судьбы и события. Но самое заветное, как и самое роковое, не может не сохраниться в памяти народа. И вперемешку с отрадными приходится листать горькие, обугленные страницы истории, хранящие следы черной напасти, муки и великих бедствий.

Самые мрачные времена в судьбе древнерусского государства — долгая пора ордынского ига. «Каких только наказаний не приняли от Бога? Не

Московские князья, владевшие Н.Новгородом <...> (Иоанн Калита - с 1311 по 1328 г., Симеон Гордый - с 1333 по 1340), в 1390 году окончательно овладели им, отослав в Москву последнего самостоятельного нижегородского князя Бориса Константиновича. После этого Н.Новгород только дважды делался на короткое время самостоятельным княжеством: в 1412-1417 гг. - при Данииле Борисовиче, захватившем город при помощи Зелени-Салтана, и в 1446-1450 гг., когда его отдал Василию и Федору Юрьевичам Василий Шемяка. *История Нижегородского края в словаре Брокгауза и Ефрона*

пленена ли земля наша? Не усеяли ли наши отцы и братья трупами землю? Не уведены ли жены и дети наши в плен? А кто остался в живых, не порабощены ли они на горькую работу от иноплеменников?... Смирилось величие наше, погибла красота наша. Богатство, труд, земля — все достояние иноплеменных», — писал в сокрушении в 70-х годах XIII века владимирский епископ Серапион.

Мертвым, опустошенным, выжженным краем стала после монголо-татарских набегов Владимиро-Суздальская Русь. И не упоминали летописи об участи Нижнего Новгорода, будто его и не было вовсе.

Но он не исчез и воссиял снова, постепенно становясь торговым и ремесленным центром в Поволжье, куда стекалось множество люда из ранее процветавших, но оскуделых и неспокойных мест. Пришла пора, когда Нижний действительно был назван столицей великого княжества, которое

просуществовало более полустолетия (1341-1392) и не уступало Москве и Твери в стремлении главенствовать над Русью.

Основателем династии великих князей нижегородских считается Константин Васильевич Суздальский, который сменил в Нижнем уехавшего в Москву сына Ивана Калиты Симеона. Константин Васильевич был энергичен, ловок, смел и деятельно расширял территорию княжества. В его владения входили Нижний Новгород, Суздаль, Городец, три пригорода — Бережец на Клязьме, Юрьевец на Волге, Шуя на Тезе, а еще все Поволжье от Юрьевца до Суры. Честолюбивые замыслы сделать Нижний столицей Руси, которые Константин Васильевич вынашивал вместе с основателем Печерского монастыря Дионисием, не оставляли князя до самой смерти.

Надо сказать, идея превратить Нижний Новгород в столицу всей русской земли еще не раз посещала многодумные головы отечественных политиков. Опережая времена, можно сослаться на слова дворянина-реформатора Ивана Пересветова, который в XVI веке советовал царю Грозному: «А стол царский (пусть) пишется в Нижнем Новгороде...» И даже в XIX веке возникала эта мысль у декабриста Павла Пестеля, говорившего, что «все воспоминания о древности Нижегородской дышат свободою и прямою любовью к Отечеству, а не к тиранам его».

...В кремле замечателен Архангельский собор (1227). Между собором и примыкающей к нему колокольней устроена сторожевая башня, с которой в старину наблюдали за движением неприятеля. В ризнице собора много старинных предметов. Образ Михаила-Архангела (XV ст.) и гробницы кн. Иоанна, Василия, Иоанна и великой княгини Ирины...
Брокгауз

Воспоминания о древности нижегородской… Они связаны и с отважными деяниями сына Константина Васильевича Андрея, что не трепетал перед ордынским ханом, поступая по своей воле, и с правлением другого сына— Дмитрия-Фомы, при котором в Нижнем стали чеканить свою монету и при котором же была написана уникальная Лаврентьевская летопись. Он отдал младшую дочь Евдокию за московского князя Дмитрия Ивановича, названного впоследствии Донским. Начал сооружение каменного кремля, успев построить только первую башню, до сих пор прозываемую Дмитриевской. В годы его правления появляется в Нижнем гениальный художник, родом из Византии, «преславный мудрец, философ зело хитрый» Феофан Грек. Рассказывая о нем, древний писатель-монах Епифаний Премудрый перечисляет города, где работал мастер: «в Константине граде, и в Халкидоне, и в Галате, и в Кафе, и в Великом Новгороде, и в Нижнем».

В Новгороде Великом Феофан Грек в 1378 году заканчивает росписи Спасо-Преображенского храма и, вероятно, через два года появляется на нижегородской земле, где город отстраивается после татарского разгрома.

Исследователи считают, что византийский мастер расписывал Спасский собор в кремле. Фрески Феофана просуществовали недолго: в 1339 году город был разорен домогавшимся великокняжеского престола Симеоном Дмитриевичем, приведшим к стенам родного города ордынцев.

Но вернемся к Дмитрию-Фоме Константиновичу, которому за годы княжения (1366-1384) пришлось претерпеть немало тяжких испытаний.

В самом начале мешал ему занять великокняжеский престол в Нижнем младший брат Борис Константинович, зять литовского князя Ольгерда,

Так поставили предки Нижний Новгород, чтобы добрых людей красотой приманивал, а для врагов неприступным заслоном был.
Рис. С.Агафонова

The ancestors founded and erected Nizhny Novgorod in such a way that it attracted good people by its beauty being at the same time an impregnable fortress for the enemies.
Drawing by S.Agafonov.

правивший до этого в Городце. К нему из Троицы был направлен послом Сергий Радонежский. Он пришел звать Бориса в Москву к великому князю — для увещевания. Когда Борис отказался следовать воле внука Калиты, преподобный Сергий затворил все нижегородские храмы. Этот поступок был равнозначен анафеме, но Борис Константинович смирился только после того, как на него двинулись из Москвы полки великого князя Дмитрия Ивановича. Немало урона приносили Дмитрию-Фоме разрушительные набеги свирепых ордынцев. Особенной жестокостью отличился царевич из Синей Орды Арапша, который в 1377 году побил на Пьяне-реке великокняжескую рать и дотла выжег Нижний Новгород.

Город возрождался на пепелище.

Несмотря на великие потери, нижегородцы сумели собрать остатки своих сил, откликнувшись на призыв московского князя Дмитрия Ивановича защитить русскую землю от Мамая. Есть заслуга и наших предков в победе на Куликовом поле. О том находим упоминание в летописях, где ведется речь о потерях: «...сказал после битвы князь великий Дмитрий Иванович: «Сосчитайте, братья, сколько воевод нет, скольких служилых людей». Говорит боярин московский, именем Михаил Александрович... счетчик был гораздый: «Нет у нас, государь, 40 бояр московских... да 12 князей белозерских, да 13 бояр посадников новгородских, да 50 бояр Новгорода Нижнего...»

Последним из великих князей нижегородских, что сохраняли престол и независимость, был упомянутый Борис Константинович, который тоже, как и старший брат, предпринимал попытки укрепить Нижний Новгород: «повеле ров копать, где быть каменной городовой стене и башням». Именно он заложил крепость Курмыш. Сыновья его были уже под рукою Москвы, хотя и считались великими князьями.

Летопись сообщает, как жестоко происходило присоединение Нижнего Новгорода к Москве. Сын Дмитрия Ивановича Донского великий князь московский Василий «пошел в Орду к царю Тохтамышу со многою честию и дарами; и начал просить великого княжения Нижнего Новгорода, находившегося у великого князя Бориса Константиновича, присоединить к своему великому княжению к Москве, и подкупил князей царевых, чтобы печаловались о нем царю Тохтамышу; они же взяли многое злато и серебро и великие дары, такоже и царь их Тохтамыш взял много злата и серебра и великие дары. И дал царь Тохтамыш великое княжение Новгородское Москве великому князю Василию Дмитриевичу, и пошел князь великий Василий Дмитриевич из Орды от царя Тохтамыша к Москве, а послов царя Тохтамыша отпустил в Новгород Нижний с боярами своими...

Татары, войдя в город, и бояре московские с ними начали в колокола звонить, и собрались люди. Князь же великий Борис Константинович послал к своим боярам... и ответил от них один старейший его боярин Василий Румянец: «Господине княже, не надейся на нас, уже мы отныне не твои, и не с тобою, но против». И так схвачен был князь великий Борис Константинович. Спустя малое время пришел князь великий Василий Дмитриевич в Новгород Нижний и посадил в нем своего наместника, а князя Бориса Константиновича с женою его и с детьми его, и доброхотов его, всех повелел по градам развести и в вериги железные заковать...»

Седые, достопамятные времена. Борения. Распри. Трудные судьбы. Великое мужество. Неустанные мирные и ратные труды. В суровом XIV столетии родились в Нижнем два знаменитых подвижника — преподобные

В Благовещенском мужском монастыре, основание которого относят ко времени основания города, соборный храм, построенный в 1349 году св. Алексием, митрополитом московским и великим князем Борисом Константиновичем, и каменная Успенская Церковь начала XVI ст.; главная святыня последней - Корсунская икона Божией Матери, писанная, по преданию, в Корсуни, в 993 г. и составляющая копию с образа, писанного св. евангелистом Лукою; в ризнице напрестольный крест с частью мощей св. Константина, потир и пелены XVII в., собственноручная рукопись патр. Гермогена...
Брокгауз

Не раз враги осаждали город, оставляя после себя пепелище, но Нижний упорно возрождался.
Рис.С.Агафонова

The enemies besieged the city more than once, leaving it in smouldering ruins, but each time Nizhny was persistently restored to life.
Drawing by S.Agafonov.

Евфимий и Макарий. Один основал Спасо-Евфимьевский монастырь в Суздале, второй — обители в устьях волжских притоков Керженца и Унжи, названные Макарьевскими. Тяжелые испытания взращивали подвижничество.

Семнадцать раз за историю города подступали к Нижнему враги и не единожды разоряли его. Но город снова и снова отстраивался, продолжалась жизнь, развивались торговля и ремесла. Весь XV век он был сторожевой заставой и вместе с тем спасительным пристанищем для всякого вольного народа, что беспрепятственно селился на посадах. А еще был он местом изгнания. Сюда после падения Новгородской республики в 1477 году государь Иван III сослал непокорную Марфу Посадницу. Она была заточена в Зачатьевский монастырь, что находился при подошве нижегородского кремля, у берега Волги.

Постоянная угроза нападения извне, готовность взяться за оружие по зову набатного колокола, обычай отправляться в путь во всей воинской сряде закаляли характер нижегородцев, воспитывали в них неустрашимость и волю. Потому, наверное, все последующие столетия они были надежной опорой российского государства.

Город окружал себя рвами и насыпями, щетинился вертикально пригнанными и заостренными сверху бревнами острожного тына, посверкивал коваными прапорами на высоких шатровых кровлях грубо рубленых мощных башен. Множество стругов, насад, досчан, кладных и косных лодок, стружков-однодеревок скапливалось у его волжских и окских причалов. Дым поднимался над кузнями и пекарнями. Шумели нижний и верхний торги. Но все это до поры до времени. Опять набатный всполох, и опять всякий, кто мог держать оружие, бросался в крепость и вместе с ратниками вставал на стены, чтобы в полной готовности отражать врага.

(1299). Максим, митрополит Киевский и всея Руси, не стерпев насилия от татар в Киеве, пошел из Киева, и весь Киев разошелся, а митрополит пошел нз Киева к Брянску. А от Брянска пошел в Суздальскую землю, и так пришел со всеми мужами своими и стали жить во Владимире, и в Суздале, и в Новгороде Нижнем...
Летописные известия...

С конца XV века сложилось Казанское татарское ханство, и на многие десятилетия Нижний стал надежным оплотом Москвы в борьбе за великий речной путь. В августе 1505 года к городу подступило сильное шестидесятитысячное войско Мухаммеда-Эмина и его шурина ногайского мурзы. Враги прорвали внешние укрепления и окружили кремлевский холм, на котором за стенами детинца засело небольшое число воинов. Возглавлял оборону молодой воевода Иван Васильевич Образцов Хабар из рода Добрынских. Бились крепко, теряя надежду на подкрепление с каждым днем: высланная из Москвы рать застряла в Муроме. Хабару приходит в голову мысль привлечь к обороне три сотни пленных литовцев в обмен на свободу. Они дают согласие, и в день решительного штурма врага некий Федя Литвин удачно выпущенным из пушки ядром поражает ногайского предводителя. Смерть мурзы вызвала страшный переполох в стане осаждавших и привела к раздору: «Бысть между ними брань велика усобная и начашася сеча нагаи с татары... и много у града паде с обоих стран». Мухаммеду-Эмину пришлось отступить с позором. Хабар щедро одарил литовцев и отпустил их восвояси.

Без мощной каменной крепости Нижнему Новгороду все труднее становилось сдерживать удары врага.

Еще задолго до схватки с Мухаммедом-Эмином в Нижнем побывал знаменитый инженер и зодчий Аристотель Фиораванти, который сопровождал пушечный наряд. Строитель Успенского собора в московском Кремле, знаток фортификации, видимо, имел свою специальную цель: помочь нижегородцам в планировке каменной крепости.

И ее стены в ближайшие годы стали подниматься над приволжскими

(1370). Алексей митрополит шел из Орды и в Нове городе в Нижнем в Благовещенском монастыре поставил церковь каменную Благовещания Пресвятой Богородицы. *«Поздние летописные известия о начале колонизации Нижегородского Поволжья»*

Возводились храмы, росли посады, развивалась торговля, и в XIV веке Нижний Новгород обрел достоинство и славу великокняжеской столицы.
Рис. С.Агафонова

Temples were being erected, seittlments («posads») were growing, and nr the 14th century Nizhny Novgorod became famous as a Great Prince's capital.
Drawing by S.Agafonov

Дмитриевская башня
с каменным мостом через
ров и предмостным
укреплением.
Рис С.Агафонова

The Dmitry Tower with a stone
bridge over the moat and with
a pre-bridge fortification in
olden times.
Drawing by S.Agafonov

кручами. «Лета 7017 (1509 год) царь государь и великий князь Василий Иванович прислал Петра Фрязина в Нижний Новгород и велел ров копать, где быть городовой стене каменной в прибавку Дмитриевской башне». В сооружении кремля участвовали мастера из Пскова. Суровый облик нижегородского кремля придает его красоте величие и царственность. Видно, строили твердыню не только со знанием дела, но с душой и молитвой. В значительно более поздние времена была придумана история о закопанной живьем под Коромысловой башней посадской женке. Такой языческий обычай вовсе не был свойственен христианам, и едва ли можно верить расхожей легенде.

В 1930-е годы в старинном волжском городе, переименованном уже из Нижнего Новгорода в Горький (1932), стало «формироваться» мнение о сносе кремля.

И снесли бы! Да слишком велики оказались затраты на взрывчатку. А в брошюре «Город Горький», выпущенной в 1934 году, сообщалось: «На страже благополучия господствующих классов и на костях раздавленной мордвы и своих русских «христианских» рабов в четырнадцатом веке (?) вырастает на высоком волжском берегу каменный кремль с высокими зубчатыми стенами, грозными боевыми башнями и многочисленной артиллерией. И до сих пор между Советской площадью (ныне площадь Минина и Пожарского.—*В.Ш.*), Зеленским съездом и Кооперативной улицей (ныне ул. Маяковского —*В.Ш.*) стоит этот памятник алчного феодализма и царского самодержавия; свидетель жутких страниц кровавого прошлого».

Что на это можно сказать в ответ? Видимо, уместны здесь слова Александра Сергеевича Пушкина, написанные в Болдине: «Дикость, под-

лость и невежество не уважают прошедшего, пресмыкаясь перед одним настоящим».

Предки же высоко ценили спасительную и прекрасную в своем роде крепость. Ее даже изображали на иконах. Некоторые из них хранятся в Нижегородском художественном музее. Очертания древнего кремля угадываются в храмовой иконе XVII века «Чудо Георгия о змие», написанной местным автором для Георгиевской церкви, более двух веков украшавшей волжский Откос и взорванной в 1932 году. Легко узнается нижегородский кремль и Спасо-Преображенский собор в его стенах в более поздней иконе «Иоанн Предтеча — Ангел Пустыни». И уж, конечно, нельзя не заметить знакомую панораму с кремлем на иконе, изображающей основателя города святого благоверного великого князя Юрия Всеволодовича.

Еще несколько раз вражеские полчища подступали к Нижнему, пытаясь взять штурмом каменную крепость, но безуспешно. Кремль был неприступен.

Прочным каменным щитом стояла нижегородская застава на Волге. И все же враждебное ханство не унималось, разоряя все вокруг Нижнего, сжигая слободы и села. Необходимо было поставить еще один заслон. Царь Василий Иванович прибыл в 1523 году с войском в Нижний Новгород, а отсюда направился к Суре и возвел там новую крепость, назвав ее своим именем. Нижегородские земли были ограждены от разбоя. На следующий год русское войско двинулось на Казань.

Любопытно, что в это время произошло событие, которое как бы предвозвестило будущую торговую роль Нижнего. Об этом в своих «Записках о Московии» поведал австрийский дипломат Сигизмунд Герберштейн: «...ярмарку, которая обычно устраивалась близ Казани на острове купцов, Василий в обиду казанцам перенес в Нижний Новгород, пригрозив тяжкой карой всякому из своих подданных, кто отправится впредь торговать на остров. Он рассчитывал, что перенесение ярмарки нанесет большой урон казанцам и что их можно будет даже заставить сдаться, лишив возможности покупать соль, которую в большом количестве татары получали только на этой ярмарке от русских купцов. Но от такого перенесения ярмарки Московия претерпела ущерб не меньший, чем казанцы, так как следствием этого явилась дороговизна и недостаток очень многих товаров, которые привозились по Волге от Каспийского моря с астраханского рынка, а также из Персии и Армении, в особенности же превосходной рыбы, в том числе белуги, которую ловят в Волге выше и ниже Казани».

Долгие годы продолжалось противостояние двух непреклонных сил. Одна выстояла, другая стала распадаться. Стремительно менялись властители в Казани, что порождало произвол и бесчинства. С востока нескончаемо наплывали на центральную Русь густые дымы пожаров, оттуда устремлялись толпы беженцев, ища спасения и защиты у Москвы. И снова Нижний становится первым пристанищем и первой опорой. Сюда стягиваются крупные русские силы. Зимой 1548 года город встречает государя Ивана IV. Но неудачен оказался начавшийся у стен нижегородского кремля поход на Казань. И еще много предстоит претерпеть государевым полкам, прежде чем они возьмут злокозненную ханскую столицу.

После падения Казани спокойно стало на Волге. И поубавилось караульщиков на крепостных стенах в Нижнем Новгороде. А потом и вовсе перестали беспокоить военные тревоги. Далеко отодвинулось опасное восточное порубежье — город расслабился, посмирнел, умиротворился. Пути водой и сушей отсюда теперь — во все концы света.

На Соборной площади в нижегородском кремле было где Богу помолиться, где прилюдно дела обговорить и где ратников собрать.
Рис С.Агафонова

In the Cathedral Square situated in the Nizhny Novgorod Kremlin there was place enough to say prayers, to discuss things in public end to assemble warriors.
Drawing by S.Agafonov

Большая часть вооружения нижегородского кремля была переправлена в Казань. Стал Нижний обходиться единственным стрелецким полком-приказом, когда в других больших городах их стояло по два и три. Удалые стрельцы теперь отличались ретивостью не в дозорах, а на огородах да в торговых лавках.

Не блистал уже Нижний и духовными чинами. Лишившись в былые времена митрополита, не удостоился и епископа. Непритязательный протопоп главенствовал тут над соборами да тремя десятками приходских церквей. Казалось, уготовано теперь городу быть на задворках истории.

...Каждому живущему на земле дорого его время — даже тогда, когда оно называется безвременьем. Спокойные годы — безмолвие летописей. Строились дома, рождались дети, колосились хлеба. И передавались от поколения к поколению добрые обычаи.

Как и по всей Руси, ходили тогда в Нижнем в списках по рукам непременные «Поучения отца сыну». Среди этих поучений-заповедей было такое: «Все новое добро есть, но ветхое всего лучши есть и силней».

Живым теплом трепетного чувства веет от старинного письма одного из добродетельных мужей дорогой супруге: «От Афанасия Федоровича жене моей поклон. Аз в Нижнем здоров. Буду, солнышко, по тебя, как аж даст Бог дорога поочиститца...»

Нет, наше прошлое не мертво, не избыто — оно необходимо нам, ибо в нем мы узнаем самих себя. Хорошо когда-то сказал поэт Федор Иванович Тютчев: «Истинный защитник России — это история». Действительно, наше прошлое оберегает и воодушевляет нас.

И расправляться с ним — рубить под собой сук.

Составляя в начале этого века путеводитель «Нижегородская старина», известный краевед Андрей Павлович Мельников значительное место уделяет описанию Спасо-Преображенского кафедрального собора, где свято из века в век хранилась огромных размеров византийская икона Спаса, перенесен-

ная из Суздаля родоначальником династии великих князей в Нижнем Новгороде Константином Васильевичем в знак учреждения столицы своего суверенного государства на Волге. Внимание краеведа привлекает склеп под собором, где располагались гробницы исторических деятелей.

«Если следовать от южного придела, — пишет он, — то первой придется гробница последнего в.к. Бориса Константиновича, в середине, против самого входа в склеп, помещается гробница первого из погребенных здесь в.к. Константина Васильевича. Тут же, невдалеке, гробница второго в.к. Андрея Константиновича. Почти рядом — в.к. Дмитрия Константиновича и недалеко четвертого — Василия Дмитриевича по прозвищу «Кирдяпа», родоначальника князей Шуйских и предка царя Василия Шуйского. Здесь же погребены супруги в.к. Константина — Анна Грековна, Андрея — Анастасия, во иночестве Васса, в схиме — Феодора, почитавшаяся когда-то святой, местночтимой в гор.Галиче, где проводила она остаток дней своих. Между гробницами родственников велик.князей находится тут же могила брата Василия Дмитриевича — Симеона Кирдяпы, родоначальника Горбатовых и супруги Никиты Романовича, бабки царя Михаила Романова... Из остальных гробниц здесь обращают на себя внимание гробница архиепископа Питирима, первого митрополита Нижегородского Филарета и католикоса Антония из рода царей Грузии».

Надо отметить, что в стенах кафедрального собора находилась тогда и гробница Минина.

Дорогие и славные имена! Память о прекрасных и горестных страницах истории. Не только нижегородской — и всей великой Руси.

В конце 20-х годов гробницы были вскрыты и осквернены, великолепный собор разрушен, и прах наших предков, кроме праха Минина, смешан с землей и обломками, став основанием конструктивистского Дома Советов.

Однако невозможно одну историю начисто заменить другой.

Наше возвращение к истокам неизбежно.

Мы возвращаемся к ним, благоговейно склоняя головы перед древними и, слава Богу, не до конца истребленными святынями, с покаянием в душе, с любовью к отчим пределам в сердце.

> Два чувства дивно близки нам —
> В них обретает сердце пищу —
> Любовь к родному пепелищу,
> Любовь к отеческим гробам.
>
> На них основано от века
> По воле Бога самого
> Самостоянье человека,
> Залог величия его.

Эти слова Пушкина обретают сейчас новую живительную и благотворную силу. На отношении к прошлому вырабатывается гражданская и нравственная позиция.

В своем путеводителе Андрей Павлович Мельников рассматривает местную историю, которая, по его мнению, делится на пять главных периодов: «Первый период до основания Нижнего Новгорода, вслед за присоединением к русским владениям устья Оки; второй — недолговременный период самостоятельности великого княжества Нижегородского; третий — время борьбы

Преображенский собор основан в половине XIV в., построен заново в 1834 г. В нем замечательны иконы Нерукотворного Спаса, перенесенная в 1352 г. из Суздаля, и Одигитрии, писанная в Царьграде и присланная оттуда св. Дионисием в 1380 г., шапка св. великого князя Георгия Всеволодовича (основателя Н.Новгорода), харатейная рукопись Евангелия 1404 г., гробницы нижегородских великих князей и княгинь, митрополитов и епископов. Тут же находится могила Минина, над которой склеп во вкусе XVII в.
Брокгауз

Московского государства с Казанью, когда Н.Новгород выступает в крупной роли сторожевого пункта на Волге, защищающего все Московское государство; наконец, после покорения Казани и Астрахани, когда он выдвигается историческими обстоятельствами на новом поприще спасения русской земли в смутное время. Далее он приобретал понемногу значение величайшего в России торгового пункта».

Что ж, отменный знаток истории, основательно изучивший нижегородские древности, имел все основания так думать.

Связь времен можно представить умозрительно, однако она воочию проявляется в сохранившихся исторических реликвиях.

Прекрасен герб Нижнего Новгорода — гордо шествующий сквозь времена олень, фигура которого укреплена на шпиле древней Дмитриевской башни.

Известно, что сначала на нижегородском гербе был изображен лось. Его можно увидеть среди других гербовых знаков на большой государственной печати Ивана Грозного, которой скреплялись договоры между Россией и Швецией, заключенные в 30-х годах XVI века. Однако уже в «Росписи всем государевым печатям 1626 год» изображение на собственно нижегородской печати называлось оленем. В «Титулярнике» 1672 года рисунок лося-оленя снабжен выдержкой из государева титула: «Царь и великий князь Нова города Низовския земли». В 1781 году Екатерина II утверждает вместе с гербом Нижнего Новгорода гербы уездных городов губернии. В 1785 году было предписано: «городу иметь герб... и оный герб употреблять во всех городовых делах». Вот с той поры олень, как символ благородства, красного

Нижний Новгород в XVII веке: деревянный, скученный, овражистый, с крутыми спусками и кривыми улочками, но по-своему уютный, обжитой, гостеприимный.
Рис. С.Агафонова

Nizhny Novgorod in the 18th century: wooden, dense, ravined, with steep slopes and curved streeis but still cosy, habitable, ard hospitable in its own way.
Drawing by S.Agafonov

цвета с черными рогами и копытами на белом поле, явился в наши дни.

Герб, который город гордо пронес через века — наглядное свидетельство преемственности, без которой будет утрачен истинный смысл жизни. Значение прошлого, кроме самоценности, определяется еще и нашим повседневным отношением к нему.

Это в полной мере осознавали те, кто в смутном 1917 году, когда нарастала волна погромов, обратились к землякам с воззванием:

«Нижегородцы! Нижегородская Ученая Архивная Комиссия обращается к вам с горячей мольбой в настоящие великие исторические для России дни: берегите ваши художественные и исторические памятники! Им отовсюду грозит опасность: и от внешних врагов, и от нашей собственной небрежности, и от невежества, и от корысти злонамеренных людей. Порча или уничтожение каждого такого предмета причиняет непоправимый вред не только его владельцу, но и всем нам, всему русскому народу, всему нашему Отечеству, так как исторический памятник, художественное произведение есть достояние всего народа, всей страны, есть государственная ценность. Их нужно хранить как святыню, — все равно, будут ли они напоминать нам светлые или мрачные страницы нашей истории.

Нижегородцы! Берегите свое прошлое: древние здания, крепостные стены и башни, статуи, картины, иконы, церковную и домашнюю утварь, старинную мебель, старинное оружие, рукописи, старые дела, книги, архивы казенные, общественные, волостные, домашние. Все это — история родного края, ваша собственная история...»

Слова эти были своевременны тогда, актуальны они и сегодня.

До сих пор зачастую новое противопоставляется старому и бытует расхожая фраза: «неузнаваемо изменилась жизнь». А ведь «неузнаваемо измениться» — это вовсе не достоинство и не достижение. Напротив, это весьма прискорбно.

Без прошлого мы беспомощны, как новорожденные младенцы, без прошлого мы — ничто.

Старый город встает перед глазами дорогими сердцу картинами былой жизни, что волнуют не меньше, чем сама современность. Так и должно быть, потому что времена сомкнуты в единое целое, нерасторжимое, вечное, где одно звено невозможно без другого.

Старый Нижний проступает сквозь очертания нового.

Дивной музыкой кажутся древние названия, сохраненные в городе: Ярилина гора, Почайна, Слуда, Мещерское озеро, Похвалинский съезд, Сенная площадь, Печеры...

Возвращение к истокам — это прежде всего трепетное прикосновение к первым страницам истории, дающим необходимые азы, с которых начинается постижение родной земли. И листая эти то густо заполненные, то пробельные страницы, нельзя не ощутить сродства своей судьбы с судьбою отеческих мест. И все славные дела, и все печали, и все злоключения, что были в минувшем, становятся близки, как собственные радости и тревоги. Дух старого Нижнего словно бы проникает сквозь поры и растворяется в крови.

Благотворный дух.

Владимир Соллогуб

Из повести «Тарантас»

Если когда-нибудь придется вам быть в Нижнем Новгороде, сходите поклониться Печорскому монастырю. Вы его от души полюбите.

Уже подходя к нему, вы почувствуете, что в душе вашей становится светло и безмятежно.

Сперва все бытие ваше как будто расширяется, и существование ваше станет вам яснее от одного взгляда на роскошную картину приволжского берега. Налево у ног ваших, под ужасною крутизною, вы увидите широкую реку-матушку, любимую народом, прославленную русскими поверьями; гордо играет она, и блещет серебряной чешуей, и плавно и величественно тянется в сизую даль. Направо, на скате горы, громоздятся дружною кучею между кустов и деревьев живописные хаты, а над ними, на обрыве, вдавшемся в реку, вы видите белую ленту монастырской ограды, из среды которой возвышаются куполы церквей и келии иноков.

Обогните гору, спускайтесь по широкой дороге к монастырским воротам и отряхните все ваши мелочные страсти, все ваши мирские помышления: вы в монастырской ограде.

Вокруг вас печально тянутся длинные монастырские строения. Посреди двора две старинные церкви соединяются крытыми наружными переходами. Здесь, в этих церквах, безмолвных свидетелях нашей забытой старины, под тяжелыми их сводами и резными иконостасами, много было вылито и слез и молитв от набегов татар, от вторжений поляков, о славе и многолетии князей нижегородских.

Ступени церквей уже заросли травой. Кругом, между густым кустарником, белеют памятники и уныло наклоняются на землю надгробные кресты. Здесь все дико и мрачно, здесь порог суеты человеческой; здесь все тихо, все молчит, все мертво, и лишь изредка монах в черной рясе мелькает тенью между могил.

Скромный домик архимандрита примы-

кает к обители всей братьи. Домик прост и не роскошен, но из окон его, с ветхого его балкона открывается самая роскошная картина, пестреют вдали все богатства России.

С одной стороны на гористом берегу возвышается древний кремль, и чешуйчатые колокольни высоко обозначаются в голубом небе, и весь город наклоняется и тянется к приволжскому скату. С другой, луговой стороны, взор объемлет необозримое пространство, усеянное селами и орошенное могучими течениями Оки и Волги, которые смешивают свои разноцветные воды у самого подножия города и, смешиваясь, образуют мыс, на котором кипит и бушует всему миру известная ярмарка; на этом месте Азия сталкивается с Европой, Восток с Западом; тут решается благоденствие народов; тут ключ наших русских сокровищ.<…> Ока и Волга тянутся одна к другой, как два огромных войска, сверкая друг перед другом бесчисленным множеством флагов и мачт. Тут суда всех именований, со всех концов России, с изделиями далекого Китая, с собственным обильным хлебом, с полным грузом, ожидающие только размена, чтобы снова идти или в Каспийское море, или в ненасытный Петербург.

Какая картина и какая противоположность! Внизу — жизнь во всем разгуле страстей, наверху — спокойствие келии; там переменчивость, опасения, страх, буйство и страсти; здесь безмятежная совесть и слово прощения на устах. И каждое утро и каждый вечер над шумным торжищем вселенной мирный пастырь тихо творит молитву и невольно думает и задумывается о ничтожестве земной суеты.

А ночью, когда небо усеяно звездами, когда в Волге отражается месяц и кое-где мелькает на берегу забытый огонек, а вдали звонко раздается заунывная песня бурлака, как хорошо на этом месте, какая душевная прохлада навевается тогда свыше, какое тихое, светлое счастие наполняет тогда целое бытие. Поверьте мне: если вам придется быть в Нижнем Новгороде, сходите поклониться Печерскому монастырю.

К тому же, войдя в него, вы как-то невольно переноситесь в другое время, к другим обычаям, к другой жизни. Перед вами воскресает какой-то страшный остов погибшей старины. Вам показывают древнюю ризницу, древнюю утварь, древние синодики. Вы стоите посреди полуобрушившихся строений; вы живете прошедшей жизнью, и редкие остатки нашего народного искусства как бы печально упрекают нас в нашем непростительном нерадении.

И да не покажутся странными эти слова. Искусства существовали у наших предков, и если не в наружном развитии, то по крайней мере в художественной понятливости и в художественном направлении. Наши песни, образа, изукрашенные рукописи служат тому доказательством. Но зодчество оставило значительнейшие следы, и в таком обилии, в таком совершенстве, что теперешние наши здания, утратив оригинальность, характер и красоту, чуждые русскому духу и требованию, кажутся совершенно ничтожными и неуместными...

...Но обратимся снова к Печерскому монастырю. Его история проста. Прежде он был богат, теперь он беден: прежде к нему было приписано восемь тысяч душ и он имел много вкладчиков, которые все записаны в синодиках, с тем чтобы в память их творимы были молитвы. Теперь вотчины отошли в другое владение; щедрые вкладчики исчезли. Одни лишь молитвы остались неизменными, как прежде.

Самый древний монастырский синодик ведется с царствования Иоанна Грозного и заключает в себе именные списки многих владетельных и боярских домов, перемешанных с скромными подаяниями об упокое душ подьячих приказной избы, судовых ярыжек, посадских, дьяков и простых крестьян. Странно видеть эту огромную книгу смерти, где вся мертвая старина вытягивается перед нами бесконечной панихидой. Тут поименованы князья киевские, владимирские, московские, нижегородские; тут исчислены епископы и архимандриты, из которых одних монастырских тридцать пять; тут встречаются имена русского боярства: роды Годуновых, Репниных, Бельских, Воротынских и многих других....

...Так стоит Печорский монастырь с XIV столетия, с царствования великого князя Иоанна Даниловича Калиты, не вмешиваясь в дела мирские, но лишь тщательно записывая в свои летописи тления имена грешных, за которых он молится. В истории известно только, что во время нашествия татар обитель была опустошена, а в 1696 году она вдруг спустилась по скату горы на пятьдесят сажен. Такое необычайное событие было признано целою Россией за горестное предзнаменование. Но царская щедрость царя Михаила Федоровича прочно восстановила монастырь на новом основании. До сих пор видна еще часовня, уцелевшая на том месте, где прежде стояла целая обитель. Еще известно, что, когда Россия изнывала под игом поляков, печорский архимандрит Феодосий был послан с чиновными и избранными людьми в Пурецкую волость к князю Пожарскому, склонил его принять начальство над войском и тем самым спас Россию от тяготеющего над нею ярма.

С того времени Печорский монастырь забыт в русской истории. С того времени мирские волнения не переступали более за его благочестивую ограду; и тихо и грустно стоит он над Нижним, прислушиваясь печально к неумолкаемому шуму кипящего базара. Он все видел на своем веку: и междуусобия, и татарские набеги, и польские сабли, и боярскую спесь, и царское величие. Он видел древнюю Русь; он видит Русь настоящую, и по-прежнему тихо сзывает он православных к молитве, по-прежнему мерно и заунывно звонит в свои колокола.

Поверьте мне: если вы будете в Нижнем Новгороде, сходите помолиться в Печорский монастырь.

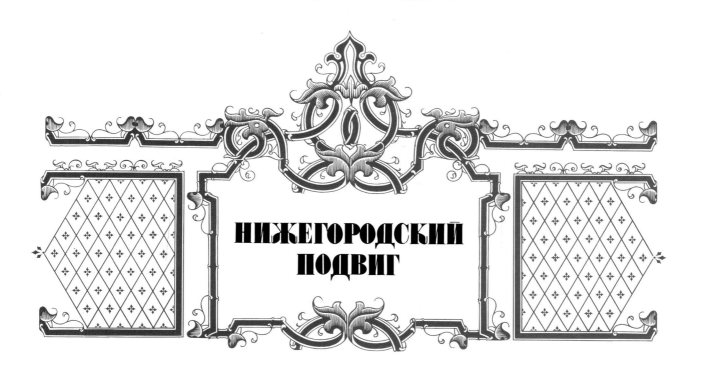

НИЖЕГОРОДСКИЙ ПОДВИГ

Ясным осенним днем 1611 года (это было около середины октября) в конце спуска, что идет от крепостных Ивановских ворот к торгу, возле Земской избы, напротив церкви Николы нарастала и сгущалась взволнованная толпа нижегородского приказного, служилого и тяглового люда: дворяне, стрельцы, пушкари, подьячие и писцы, а больше всего ремесленники да торговцы. Были и жены с малыми чадами, были и старцы. Народ стекался на зов посадского старосты говядаря Кузьмы Минина.

Страшная напасть обрушилась на Московское государство. В пределы русских земель вступили интервенты. При попустительстве изменной боярской верхушки Москва оказалась захваченной польско-литовской шляхтой. В Новгороде обосновались шведы. С северных окраин доходили сведения о подготовке английского десанта. Активную деятельность развернули католики, преданные ордену иезуитов; двое из них были заточены в нижегородскую тюрьму.

Государство разваливалось на глазах, ибо раздирали его и внутренние распри. Лихой атаман казачьей вольницы, тушинский боярин Иван Заруцкий, осаждая Москву, рассчитывал посадить на трон Марину Мнишек с малолетним сыном. Разоряли и грабили многие города шайки гулящих людей. Не было согласия у бояр с дворянами, а в посадах чернь поднималась против знати и воеводских властей. По всей Руси гремели набаты, безумная смута неистовствовала всюду.

Еще до того, как организовать всегородской сход, Минин, начиная с сентября, когда земский мир избрал его своим старостой, говорил о судьбах государства в Земской избе, на торгу, на паперти Спасо-Преображенского собора. С каждым днем увеличивалось число его сторонников, что и обеспечило затем успех дела.

И вот наступил час совета с народом.

Вытекая из Ивановских ворот на крутой съезд и с другого конца валя через торг снизу, навстречу друг другу тянулись вереницы людей. Такого скопища давно не знал Нижний. Собирались все, кто мог ходить. И расторопные мальцы уже удобно оседлали сучья ближних дерев, налепились на лубяные кровли клетей и даже отваживались влезть на ребристый, увенчанный маковкой с крестом верх крыльца Никольской церкви.

Народ старался сбиваться кучками: свои к своим. Наособь — служилые дворяне и дети боярские, наособь — стрельцы, торговые гости, судовщики, монастырская братия и даже наособь — женщины. Но все эти группы терялись в несчетном множестве посадского ремесленного и промыслового люда: мучников, кузнецов, солодешников, кожевенников, плотников, возчиков и прочей тягловой черни. Вперед, по обычаю, пропустили знать и почтенных старцев.

И, сойдясь всем миром, всем городом, обоими посадами, может быть, впервые за все лихолетье нижегородцы почувствовали, что все они до последнего накрепко связаны единой бедой и едиными надеждами, потому-то безо всякой принуды, а только по своей охоте стремились сюда. Переливались, перебегали от одного к другому незримые токи, что всегда возникают при большом скоплении народа, и возбуждение нарастало. Толпа волновалась. Говор слышался отовсюду.

Один из посадских мужиков, распаленный, шалый, в распахнутом армяке, не страшась, что его могут схватить воеводские стрельцы, крамольничал в открытую:

— Не поладит сход с Мининым, бунт учиню. Нельзя Москву в беде кинуть... Ей-Богу, учиню!.. Допустим ли до позорища?!

— Как бы не так! Не допустим! — горячились мужики.

В окружении служилого дворянства язвительно разглагольствовал шустрый сын боярский:

— Мяснику ли судить да рядить? Возомнил о себе гораздо...

Дворянство помалкивало: мол, посмотрим, что будет.

Как всегда, степенно и неспешливо вели разговор торговые люди. Средних

По Ивановскому съезду двигалось нижегородское ополчение на освобождение Московского государства

The Nizhny Novgorod people's volunteer corps was marchingalong Ivanovsky slope to liberate the Moscow State

лет купчина, одетый ради схода в новую однорядку, с озабоченностью прикидывал:

— Припасы великие для рати понадобятся. А рожь ныне не удалась, мучная-то новина сыра, серовата, в рот сунешь — кисло и вся комками...

Встревоженным роем гудела молодежь. Несколько детин задирали тщедушного отрока.

— Еще чего, не пойду! Вы пойдете биться с ворогом, а я нет? — не давал себя в обиду отрок. — Мне уже пятнадцать миновало. Воеводских сынков в такие годы безотказно в службу берут. Пойду!

— Тихо вы, спорщики! Не до шуток теперь. Аль не смыслите? — сердито прикрикнул на молодежь мужик из слободских ямщиков. Парни сразу притихли.

Постепенно говор смолкал повсюду. Толпа умялась, притерлась, засмирела. И уже мрачнели, угрюмели лица, уже каждого хватала за сердце томительная тревога, которую было не унять ни за какими разговорами. Хмуро стояли городовые стрельцы, словно на самой строгой страже.

Беспрестанно крестились старухи. Надрывно плакал первенец на руках у совсем юной матери, что растерянно озиралась, не зная, осудят ли ее люди, если она уйдет с ним домой. Но вот встрепенулась и снова замерла толпа. На брусяной помост — торговое лобное место, с которого по обыкновению разглашали свои вести площадные подьячие, таможенные и посадские сборщики, взошел Кузьма Минин. Неторопливо снял шапку. Уверенная стать крепкого и зрелого мужа, собранность и степенность его внушали почтение.

Кузьма Минин
на эскизе художника
Константина Маковского

Kuzma Minin.
Sketch by an artist
Konstantin Makovsky

Окружная грамота Д.М. Пожарского в великорусские города (1612, июнь). ... В Нижнем Новгороде гости и посадские люди и выборный человек Кузьма Минин, ревнуя пользе, не пощадя своего имения, начали людей сподоблять денежным жалованьем, и пррсылали до меня князя Дмитрия из Нижнего много раз, чтобы мне ехати в Нижний для земского совета, я по их прошению приехал к ним в Нижний, и учали ко мне в Нижний приезжати бояре, и воеводы, и стольники,... и дворяне и дети боярские, вязьмичи, дорогобужане и смоляне и иных разных городов.
Сборник Нижегородской Губернской Ученой Архивной Комиссии

Однако Минин сильно волновался. Все последние сумятные дни и ночи с их тревогами и опасениями навалились сейчас на него неимоверной тяжестью. Собрав всю свою волю, Кузьма поборол никем не замеченную смятенность. И увидел сотни глаз, что с надеждой, состраданием, мольбой и ободрением, а кое-где и недоверием, насмешкой и неприязнью воззрились на него.

— Люди нижегородски-ие! — натужным, срывающимся голосом закричал он. Толпа подалась к помосту, чтобы лучше слышать. И невольный соучастливый порыв многих ободрил Минина. Крепчая, голос его далеко разнесся над множеством голов.

О чем говорил на всегородском сходе Минин? В документах его речь изложена лаконично: «Захотим помочь Московскому государству, так не жалеть нам имущества своего, не жалеть ничего, дворы продавать, жен и детей в кабалу закладывать, жизнь свою положить, но землю родную вызволить».

Сердце бешено колотилось в груди Кузьмы, когда он провозгласил:

— Так похотим помочь русской земле устроением ратным! Быть ли такому приговору?!

— Быть! — ответили Минину нижегородцы.

Чьи-то слабые возражения потонули в забурлившей толпе, как в пучине. Вверх летели шапки.

Минин пережидал шум. И нелегко ему давалось спокойствие.

— Ваша воля у казны верного человека поставить, — обратился к людям Кузьма, как только шум поутих. — Кого желаете?

— Тебя! Тебя хотим! — закричали с разных сторон.

— Всем ли гоже?

— Всем!

— Верой и правдой послужу вам! — поклонился староста и тут же обернулся к стоящему земскому сборщику Бестужеву. — Неси, Микита, мирской ларец.

Бестужев мигом пробился к Земской избе, вынес оттуда большой, окованный железом ларец, поднял его над головой и поставил на помост. Кузьма достал из-за пазухи увесистую кожаную кису, развязал тесемку.

— Вот моя доля! — объявил он.

Резко откинув крышку ларца, староста наклонил над ним кису. Сверкающей чешуйчатой струей полилось серебро, зазвенькали, ударяясь одна о другую, монеты.

— А мы что же? — возопил кто-то из почтенных старцев, и множество людей, толкаясь, стало пробиваться к помосту. Полетели, то попадая в ларец, то шлепаясь прямо на настил, доброхотные деньги. Микита Бестужев еле успевал подбирать их, стал помогать ему и другой сборщик — Пятой Иевлев.

— Не к спеху дело! Земская изба ежедень отперта, туда несите, — опасаясь, как бы кого не зашибли в давке, принялся уговаривать возбужденный народ Минин. Но его не слушали. И стоял он, осыпаемый монетами, чуть не плача от радости: не подвели его нижегородцы.

Отдаленному от границ, а также от столицы городу. Смута не причинила гибельного ущерба, задела его лишь краем. И, разрастаясь год от году, крепли здесь посады, насчитывая около двух тысяч дворов. Более чем половиной лавок на торгу владел тягловый люд, славясь также знатными в мастерстве плотниками и кузнецами, судовщиками и кожевниками. Ни на чем ином —

Выборный человек всей
земли Кузьма Минин

Kuzma Minin, a unanimously
elected statesman

Воевода нижегородского
ополчения князь
Дмитрий Пожарский

Prince Dmitry Pozharsky,
voivode of the Nizhny Novgorod
people's volunteer corps

на торговле да ремеслах набирал силу Нижний. А потому хорошел, мостя улицы широкими плахами и щедро украшая ворота и дома прихотливым узорочьем с резными солнцем и луной, единорогами и сиринами.

Нестесненно выказывали свой дюжий норов посады, цену себе знали. Не зря ходила стоустая поговорка: нижегороды — не уроды. И поярковые колпаки посадских мужиков не больно-то склонялись перед дворянскими мурмолками.

Посадский мир в Нижнем великого разора не допускал. Мало того, что все тут слои — и самые бедные, и средние, и лучшие люди — были сцеплены круговой порукой, каждый к тому же разумел: чем крепче та сцепка, тем крепче и община. А в смутную пору, которая грозила полным безвластием, полагаться приходилось только на самих себя. Как бы ни были строги наказы Восводской избы, они ничего не стоили перед волей посадов. И потому разумному Минину не было нужды бить челом нижегородским властям, прося изволения собрать сход, — он сам его учинил и сам впрямую воззвал к народу.

Известно, что изрядную помощь ополчению оказали торговые люди. Можно сказать, что впервые наиболее явно выказало свою щедрость нижегородское купечество, выложив из мошны значительную сумму и согласившись на повышение таможенных пошлин. Немалый вклад сделали знаменитые предприниматели Строгановы. Несомненно, без их крупных средств ополчение не было бы снаряжено так, что ни в чем не испытывало нужды: ни в пушках, ни в порохе, ни в одежде, ни в доспехах, ни в кормах. Самый бедный служилый дворянин смог выступить в поход одвуконь.

Конны, людны и оружны стекались в Нижний дворяне и дети боярские, шли посошные люди. Откликнувшись на многократные, по его собственному признанию, уговоры нижегородцев, прибыл из своего имения опытный воевода князь Пожарский, чтобы возглавить рать. Минин, которого он сам выбрал в помощники, стал деятельно помогать ему.

Кузьма Минин родом из Балахны, города на берегу Волги, что славился

Ныне мы, служилые Нижнего Новгорода всякие люди, сославшись с Казанью и всеми понизовыми городами и с поволжскими, собравшись со многими ратными людьми, видя Московскому государству и верховным городам от польских и литовских людей конечное разорение, идем все головами своими в помощь Московскому государству... И вам бы, господа, дворянам вологодским и детям боярским, и стрельцам и всяким ратным людям,... против врагов наших, польских и литовских людей, до смерти стояти...»
Отписка нижегородцев в Вологду. «Н.Новгород в XVII веке.»

31

Благовещенский
монастырь.
Рис. Д.Быстрицкого.
1850-е годы

в старину соляными источниками. Родился Кузьма в семье солепромышленника Мины Анкудинова, с молодых лет стал заниматься торговлей. У Кузьмы было несколько братьев, жена Татьяна Семеновна и сын Нефед. По свидетельству летописца, Минин обладал острым умом и даром красноречия.

В начале XVII века он становится прасолом-перегонщиком и скупщиком скота, заводит свою мясную лавку и бойню в Нижнем Новгороде.

Предположительно дом и двор его находились поблизости от Благовещенского монастыря, на горе.

В начальную пору смуты вместе со служилыми и посадскими людьми Минин отбивал от стен города вооруженные отряды тушинского самозванца Лжедмитрия II. По всей вероятности, проявил незаурядные организаторские способности, потому что — невиданное дело! — был избран земским старостой сразу двух посадов: Верхнего и Нижнего. Воеводская власть потеряла свое влияние в народе и, естественно, в таком сильном и авторитетном человеке, каким был Минин, нижегородцы находят духовную опору и надежного защитника их интересов.

Земский мир старался выбирать в старосты человека не только пристойного, честного, обходительного и всеми почитаемого, но и сметливого, бережливого, оборотистого и грамотного рачителя с достатком, умеющего постоять за других, как за себя. Мир не хотел покладистого угодника, спесивец ему тоже был не нужен; не почиталась набожная смиренность, и буяна-крамольника никто не желал; не подходил молчальник, не был мил и развеселый говорун. Ценился нрав добрый, ровный. Почитался такой верховод, чтоб на чужое не зарился, но и своим не поступался.

Привередлив, разборчив был мир, зато многого стоило его доверие: если какая поруха или немилость на старосту свалится — вызволит, стеной за своего избранника встанет, ни перед воеводой и ни перед боярином не склонится. Так повелось изначально, так и вершилось.

Кузьма Минин подходил посадскому люду по всем статьям. Это был образец народного избранника. И в самых сложных обстоятельствах ярко раскрылись нравственные достоинства и деловые способности этого пламенного патриота.

Заслуга его не только в вызволении отечества, но и в защите православной веры. Тогда эти понятия — вера и отечество — воспринимались в единстве. Сохранилось предание, что накануне подвига Минину являлось видение преподобного Сергия Радонежского. Великим потрясением это было для посадского человека, которого так же, как некогда Дмитрия Донского, благословил на подвиг знаменитый чудотворец, пусть даже и примнившийся. Тяжелую ношу, что была под силу только государевым мужам, принимал на себя незнатный и несановный горожанин. И донес эту ношу до конца.

Пожалуй, лучшую характеристику Минину дал замечательный русский исследователь старины Иван Егорович Забелин. «Сам Минин был чудом между современниками. Как в таком незаметном чине свершить такое великое и благодатное дело! По убеждению века, это не могло произойти без наития Божьей благодати, и сам Минин был потом искренно и религиозно убежден, что он только орудие промысла».

Историк утверждает: «Авторитет Минина, как человека высокой честности, высоких патриотических добродетелей, утвердился не фантазиями наших современников, а правдивыми свидетельствами его современников, которые были в великом множестве распространены в хронографах в течение всего XVII ст. и не подверглись сомнениям. Да и записали эти свидетельства очевидцы событий, принадлежавшие к различным сторонам и партиям. У всех мы находим особую симпатию к Минину, а у иных восторженные похвалы».

Известно, что большое воздействие на Минина оказали послания патриарха Гермогена, что он, Минин, действовал в тесной связи с архимандритом

Патриарх Гермоген отвергает требование поляков призвать народ к покорности и смирению

Patriarch Germogen rejects the demand of the Poles to call the people to obedience and resignation

Печерского монастыря Феодосием, протопопом Саввой Ефимьевым, знаменитым Троицким архимандритом Дионисием. Церковь поддерживала все деяния отважного нижегородца.

Став организатором и душой ополчения, самоотверженный нижегородский староста во всем поступал так, чтобы соответствовать духу соборности, нестяжательства и праведности.

Это его внутренне единило с тридцатитрехлетним князем Дмитрием Михайловичем Пожарским, опытным воином, который был известен не только мужеством, но и честным сердцем. В марте 1611 года, когда москвичи подняли восстание против нагло засевших в российской столице поляков, Пожарский построил на Лубянке острожец и отражал атаки врага. Москва была подожжена. Воспользовавшись пожаром, до зубов вооруженные захватчики стали теснить москвичей. Тяжело раненный князь покинул горящую столицу одним из последних. Еще не совсем зажили его раны, а к нему в имение Мугреево пожаловали послы из Нижнего. После мучительных колебаний он все же поддался уговорам возглавить народную рать. А веру в успех укрепил в нем Минин своим жертвенным подвижничеством, о чем князь был наслышан еще до приезда в Нижний. Вместе с Мининым он взялся за дело горячо и одержимо.

Почти всю зиму Нижний походил на большой воинский стан. Сновали по улицам нарочные, вестовщики, сборщики, боевые холопы. Проезжали в ворота кремля дворяне из поместий, выбирая дворы для долгого постоя. Тянулись возы с разными припасами. В обширном Гостином дворе у Никольской церкви торговый люд смешивался с ратным; воинам отводились тут лучшие места. Все осадные дворы внутри кремля были заняты приезжими.

На Верхнем посаде за Дмитриевскими воротами да на Ковалихе дымы клубились над кузнями. Радетельные бронники, что ковали булат, кольчужные кольца, пластины для доспехов, зерцала, наконечники копий да рогатин,

забыли про досуг. И неустанно стучали молоты по наковальням, и даже почами не гас огонь в раскаляемых воздушными струями мехов горнах, от которых несло гарью по всему городу. Пыхало обжигающим жаром от литейных ям за Благовещенской слободой, где изготавливались полевые пушки. Тяжело груженые подводы с разным сырьем въезжали в ворота зелейного двора под строгим приглядом стрельцов-караульщиков: на зелейном дворе составлялись гремучие пороховые смеси.

Нижний трудился без передыху.

Ядром ополчения стали закаленные в сечах смоляне, прибывшие из Арзамаса, где после взятия королем Сигизмундом Смоленска нашли временное пристанище. Соединились с ними вязьмичи и дорогобужане, служилый люд из Коломны, Гороховца, понизовых городов. Вместе с русскими в ополчение вступали татары, чуваши, черемисы (марийцы), мордва и другие разные «языцы» — всем прием оказывался радушный, ведь дело шло о защите каждого народа, живущего на Руси.

По всему Московскому государству рассылались из Нижнего призывные грамоты. И говорилось в них тем, к кому они были обращены: «И вам бы, господа, всяким ратным людям сходиться с нашими ратными людьми вместе и быти с нами в одном совете». Изнуренная и поруганная земля поднимала на борьбу последние силы. Еще загодя получив благословение плененного поляками патриарха Гермогена, нижегородцы возглавили эту борьбу.

«Купно за едино!(вместе за одно)» — эти слова стали девизом народного войска.

На самом исходе зимы 1612 года ополчение выступило в поход. Было оно небольшим — всего несколько тысяч. Пошли на Ярославль, в обход опасных мест, занятых казаками вероломного атамана Заруцкого. По дороге к ополчению постоянно примыкали новые ратники, много их обнаружилось и в самом Ярославле. Из-за уральских далей сюда пожаловала даже сибирская дружина татар, стрельцов и казаков под началом царевича Араслана.

Всю весну и лето подвижные полки и летучие отряды очищали дороги и подступы к Москве от воровских ватаг, разбойных отрядов самовольной, отбившейся от королевских войск шляхты, шаек грабителей. Вместе с тем ополчение основательно готовилось к вызволению столицы. Провозглашенный выборным человеком всея земли, Кузьма Минин вдосталь запасал корма, снабжал войско всем необходимым, наладил чеканку ополченской монеты, производил сборы в земскую казну с черных волостей и монастырских вотчин, вел учет оружия и пороха, встречал и распределял на постой новобранцев, закупал верховых и обозных лошадей, завозил ткани, железо и кожу. Дел было невпроворот. Но Минина не пугали никакие трудности —усердствовал он на совесть. И в неустанных трудах пролетали дни за днями.

Киноварью стали наливаться кисти рябин. В самый разгар вошла жатва хлебов, и золотые суслоны выстраивались на стерне. Добрый урожай сулила благодатная осень. Но для ратников наступала самая грозная пора. В конце июля ополчение, вынеся вперед икону Казанской Божией Матери, двинулось из Ярославля на Москву.

Под Ростовом Великим Минин с Пожарским посетили Борисоглебский монастырь, чтобы встретиться с преподобным страстотерпцем-затворником Иринархом и получить его благословение.

Повсюду на Руси знали о дивном старце, что подчинил плоть душе и более тридцати лет истязал себя железом, являя пример мученичества и подвиж-

С иконой Казанской Божией Матери шло нижегородское ополчение, собравшее к себе новые силы в Ярославле, на Москву. С этой свято оберегаемой иконой расположилось станом под кремлевскими стенами. С ней вступило в битву с врагом и с ней победило.
Н.М. Карамзин

Под этим боевым стягом
князь Пожарский вел
ополченские полки
в сражение

The military banner under
which Prince Dmitry Pozharsky
led the regiments of volunteers
to the battle

ничества. Силой духа вооружал он соплеменников, дабы противостояли они лиходейству, пагубе и растлению. Непомерно велик стал груз, которым обременил себя многотерпеливый старец. Были на нем плечные и нагрудные вериги, шейное путо и путы ножные, пудовые поясные связни. Сто с лишком медных крестов сплошным ожерельем висели на впалой груди.

Нечеловечески выносливым оказался крестьянский сын с мирским именем Илья. Еще в молодые годы вступил он на стезю самоотречения. И нельзя было не усмотреть в том чуда, Божьего промысла, высшего благоволения. Спасая свою душу, спасал затворник и души других. Уйдя от мира, приближал мир к себе: в Борисоглебский монастырь взглянуть на преподоб-ного старца, приобщиться к его стойкости, получить его благословение паломники шли чередою.

Однажды поляки, опустошая Ростов, нагрянули в монастырь, где пребывал Иринарх. Их предводитель пан Микульский, пораженный самоотвержением праведника, спросил его, за какого царя он молится. «Я русский, и молюся за русского царя», — бесстрашно ответил старец.

С почтением склонили головы перед вещим затворником Пожарский с Мининым, ждали, что он скажет. Он неспешно перекрестил гостей. Потом сказал Минину:

— В юные лета бывал я в Новгороде Нижнем. Наставил меня на верный путь один благочестивый человек, у коего я жил тогда. Памятую. И радуюсь, что Нижний стяжание презрел и русскую землю на честное дело поднял.

Взяв из ниши большой медный крест, старец протянул его начальникам ополчения.

— Примите. И да явит Господь милость свою, пособив вам очистить Москву от иноземцев. Дерзайте, не страшитесь. Бог вам в помощь!

Пожарский благоговейно принял святыню.

С заветным крестом воротились ратные начальники к войску.

Противостоящие войску Пожарского силы интервентов под Москвой (подступающие к стенам столицы полки гетмана Ходкевича и засевший в Кремле гарнизон Николая Струся) имели численное превосходство. У польско-литовского рыцарства было отличное вооружение. Так что с таким противником схватка предстояла исключительно жестокая.

Расположившийся станом у Арбатских ворот, Пожарский оказался как бы между двух огней: в лоб ему наступал Ходкевич, а с тыла угрожали поляки, что находились в Кремле. Но другой позиции выбрать было невозможно — князю оставалось или победить, или положить всю свою рать на поле боя. В этом смысле ситуация была похожа на ту, что создалась перед Куликовской битвой.

Два дня шла упорная кровопролитная сеча. И надо сказать, чаша весов склонялась на сторону Ходкевича. Это был искусный полкозодец, знаменитый своей победой над шведами в 1605 году при Кирхгольме (ныне Саласпилс), когда он с четырьмя тысячами воинов разбил шведское войско в одиннадцать тысяч человек. Нисколько не сомневался Ходкевич, что справится и с ополчением Пожарского. Тем более, что у поляков сложилось невысокое мнение о русской рати, где среди начальников был посадский мужик. Однако тщеславие подвело Ходкевича. Он не учел многого, в том числе и высокого патриотического духа россиян.

В критический момент битвы Минин выпросил у Пожарского три конные дворянские сотни и, преодолев Москву-реку через Крымский брод, вместе с помогавшим ему перебежчиком ротмистром Хмелевским внезапно ударил на противника с тылу.

Гетманское войско не успело изготовиться к отпору. Неожиданное появление русских ратников нагнало страху. В панике рота пехоты налетела на седлавших коней рейтар и смяла их порядки.

Ополченцы не давали врагу опомниться, разили саблями и давили лошадьми.

Шум побоища в тылу переполошил всех поляков. Тревожно запели трубы. Рыцарство кинулось спасать свой обоз. Надо было срочно ставить заслоны.

Однако сумятица только усилилась. Набатно загремели раскатистые колокола в сохранившихся московских храмах. На помощь Минину поспешили казаки.

За пределы Замоскворечья уже разносилась молва, что Минин с казаками бьет ляхов. Отовсюду стали стекаться к месту побоища бесстрашные москвичи. Воспрял и ополченский стан за Арбатскими воротами. Оттуда через реку устремились воодушевленные минииским прорывом ратники.

Дворянские сотни, что были под началом Минина, стали наступать широко развернувшимся строем. И обозная стража, гайдуки и рейтары, которые встали заслоном, дрогнули и вынуждены были отступить за пределы города, в поле. Обоз был захвачен ополченцами полностью.

А ратники Минина уже достигли городского внешнего вала. Завязывалась, угасала и вновь затевалась пальба. Поляки теперь отходили без спешки, заманивали ополченцев на открытое пространство. Но видно было, что сечи им не продолжить. Они никак не могли оправиться от налета.

...Кузьма намахался саблей до ломоты в плече. Преодолев вал, он остановил взмокшего, искровянившего удила коня. Дело можно было считать свершенным. Но радости он не испытывал. Глухой нестихающей болью саднило сердце. Никакой успех не искупит невозвратных утрат,

(1620) ...На Нижнем посаде ряды <...> - Болыпой, Сапожный и Подошвецкий, Корельский, Горшечный, Житный, Луковый, Москательный, Соляный, Крупяный, Мясной, Иконный, Рыбный и Новый Рыбный, Холщевый и Ветошный, Женский, Калачный, Хлебный, Лоточный... На Верхнем и Нижнем посадах...77 амбаров и амбаришков, да 252 лавки с полулавкою. <...> На Нижнем же посаде 13 изб харчевых.<...> На Верхнем посаде за Дмитровскиии воротами и на Ильинской горе 38 кузниц, да семь мест кузнечных...

Писцовая и переписные книги XVII века по Нижнему Новгороду

никаким чудом нельзя было воскресить павших на поле боя ополченцев, среди которых большое число нижегородцев. Минин вложил саблю в ножны и с трудом разжал занемевшие на рукояти пальцы.

К нему подлетали разгоряченные всадники, настаивали на преследовании поляков. Минин спокойно осмотрелся и твердо сказал окружившим его дворянам:

— Хватит крови. Побережем силы. Не бывает в один день две радости.

Отступив к Донскому монастырю, шляхетское рыцарство всю ночь не покидало седел. Так повелел потрясенный непредвиденным разгромом гетман Ходкевич. Но он зря опасался преследования. Поляков никто не потревожил, и они с позором покинули окраины Москвы.

Есть все основания воздать хвалу Минину не только за его талант организатора и устроителя войска, но и за его ратные достоинства, мужество и умение, проявленные в схватке.

Кстати, высокопоставленная знать поначалу так была потрясена героизмом нижегородца, что не посмела воспрепятствовать тому, чтобы во главе временного руководства Московским государством наряду с боярином Трубецким и князем Пожарским был поставлен и Минин. В одной из грамот есть такие слова: «...А ныне, по милости Божии, меж себя мы, Дмитрий Трубецкой и Дмитрий Пожарский, по челобитью и по приговору всех чинов людей, стали во единочестве и укрепились, что нам да выборному человеку Кузьме Минину Московского государства доступать и Российскому государству во всем добра хотеть...».

Это был единственный случай в истории нашей земли: выходец из посадского тяглового люда оказался соправителем государства вместе с родовитыми воеводами.

К сожалению, довольно быстро Минина оттеснили в сторону спохватившиеся вельможи, которые ничем не проявили себя в бою, зато были сильны в кознях. И до той поры, как посаженный на престол Михаил Романов воздал

Обелиск в честь Минина и Пожарского и Спасо-Преображенский кафедральный собор, где находилась гробница нижегородского героя

Obelisk to Minin and Pozharsky and Spaso-Preobrazhensky Cathedral where the tomb of the Nizhny Novgorod hero was placed

должное Минину за его несомненно выдающиеся заслуги перед отечеством, ходил нижегородец чуть ли не в изгоях. Знакомое русское явление.

Почитая Кузьму Минина, не надо забывать и о всех тех, кто первым поднялся на защиту родной земли по его зову и кто захотел разделить с ним единую участь. У Минина были достойные сограждане. О них великолепно сказал в своей книге о смутном времени историк Иван Забелин: «Но что же нижегородский народ! Этот умный, торговый, промышленный народ, умевший всякому делу дать счет и меру; народ самостоятельный, как сама Волга, на которой он жил и по которой хозяйничал своими промыслами; народ, который во всю смутную эпоху ни разу не поколебался ни в какую сторону, первый же поднялся по призыву патриарха Ермогена; в течение всего времени постоянно сносился с патриархом, и на письме, и на словах, посредством своих бесстрашных людей посадского человека свияжанина Родиона Мосеева и боярского сына Романа Пахомова, проведывая, что творится в Москве, советуясь, как помочь беде; этот народ, который по своей окраине, во все смутное время был самым живым побудителем на подвиг ко всякому доброму и прямому делу!»

И еще вот что отметил Забелин: «Нижегородский подвиг в нашей истории дело великое, величайшее из всех наших исторических дел, потому что оно в полном смысле дело народное...».

Воистину только духовно крепкий народ и мог выдвинуть из своей среды такую незаурядную и отважную личность, как Кузьма Минин. Посетивший Москву уже во времена царствования Михаила голландец Элиас Геркман очень высоко оценил подвиг Минина: «Если бы это случилось в какой-либо другой стране или в наших Нидерландах, то я убежден, что Кузьма Минин слышал бы, как поют эти стихи поэта Еврипида: «Гражданин может стяжать высшую похвалу и честь тем, что, не щадя ни имущества, ни крови ради своего отечества, был готов умереть за него».

Увы, стихов Минину не пели. И он не ждал никакого лаврового венца, про-

Плита на обелиске
с барельефным портретом
Минина работы И.П. Мартоса

The obelisk plate with the bas-relief Minin's portrait.
Sculptor I.P.Martos

Барельефный портрет
Пожарского

The bas-relief Pozharsky's portrait.
Sculptor I.P.Martos

должая после освобождения Москвы добродетельно и неустанно трудиться.

За верную службу и то, что он, «собрав денежную казну с Нижнего, и с понизовых, и с верховых, и с поморских и со всех городов», вместе с ратными людьми пришел на помощь Москве и очистил от врагов Московское государство, царь Михаил Романов, взойдя на престол, пожаловал Минина званием думного дворянина и наградил вотчиной — селом Богородским (ныне это город Богородск) с деревнями в Нижегородском уезде.

С 1613 года Кузьма Минин жил при царском дворе, участвовал в заседаниях Боярской думы. В 1614 году он подписывает грамоту российских бояр польской Раде о необходимости съезда для заключения прочного мира между государствами. В мае 1615 года, отправившись в Троице-Сергиевский монастырь на богомолье, царь оставил Москву на попечение первым лицам государства, среди которых был назван и Минин. В самом конце того же года вместе с боярином Ромодановским и дьяком Поздеевым Минину пришлось ехать в Казань, чтобы расследовать причины волнений черемисских (марийских) крестьян и смягчить положение землепашцев. С успехом исполнив свою миссию, Минин на обратном пути из Казани захворал и вскоре скончался.

Сень над гробницей Кузьмы Минина в Спасо-Преображенском кафедральном соборе

Н.М. Карамзин: «История назвала Минина и Пожарского спасителями Отечества: отдадим справедливость их усердию, не менее и гражданам, которые в сие решительное время действовали с удивительным единодушием.
Ст. «Смутное время».

По описи 1621-1622 гг. в нем (Н.Новгороде - Ред.) были 2 собора, 27 церквей, 8 монастырей, 1300 дворов и до 5000 жителей (русских, литовцев, немцев и казаков); по описи 1677-1678 гг. 1274 двора; около 1800 г. - 28 церквей, 3 монастыря, 10000 жителей, 1825 домов; в 1855 г. - 30789 жит., 2343 дома, 3 монастыря и 41 церковь.
Брокгауз

Божиею милостию мы, великий государь царь и великий князь Михайло Федорович, всея Русии самодержец, по своему царскому милосердому осмотрению пожаловали есмя думного своего дворянина Кузьму Минича за его, Кузьмину, многую службу. <...> селом Богородцким. <...> И Кузьме и сыну его по сей нашей царской жалованной грамоте владеть тем селом Богородцким с деревнями, и с пустошми и со всеми угодьи, в вотчину им, и их женам, и детем, и внучатом, и правнучатом и в род их неподвижно, и вольно им та вотчина по нашему царскому жалованью продати, и заложити, и по душе и в приданые отдати, и после своего живота роду своему и племяни отказати. Дана ся наша грамота вашего государства в царствующем граде Москве лета 7123-го (1615 г.) генваря в 20 день.

Его похоронили в Нижнем Новгороде на одном из кладбищ, затем прах великого патриота перенесли в усыпальницу Спасо-Преображенского собора. Этот храм был разрушен в 1929 году. Ныне прах Минина находится в Михайло-Архангельском соборе в нижегородском кремле. А сабля нашего славного земляка до сих пор хранится в Оружейной палате, напоминая всем о грозных событиях далекого XVII века, когда судьба России зависела от каждого ее защитника.

Подвиг нижегородцев не может быть забыт.

Неизвестно число участников нижегородского ополчения, павших под Москвой. Мало, к сожалению, знаем мы имен тех, кто помог Минину в его славном подвиге. Но мы можем назвать всех выборных людей Нижнего Новгорода, которые после победы над врагом приезжали в Москву для избрания на царский престол Михаила Романова. Несомненно, они были достойными людьми и содействовали организации ополчения. Это — протопоп Савва, священники Герасим, Марко, Богдан, посадские Федор Марков, Софрон Васильев, Яков Шеин, Третьяк Андреев, Еким Патокин, Богдан Мурзин, Богдан Кожевников, Третьяк Ульянов, Мирослав Степанов, Алексей Маслухин, Иван Бабурин. В Кострому просить Михаила на царство ездили нижегородцы протопоп Савва Ефимьев и староста Федор Марков. Среди тех, кто приводил жителей нашего города к крестному целованию, были дьяк Василий Сомов, таможенный голова Борис Попкратов, кабацкий голова Оникей Васильев, Григорий Измайлов.

Не может быть сомнения, что потомки их живут по сей день. И хотя минули столетия, все же остается незримая связь между прошлым и настоящим, между Мининым с его сподвижниками и нами. Эта связь — великое чувство родства поколений, связь, которая называется кровной.

Павел Мельников-Печерский

Из романа «На горах»

...С малолетства живучи в родных лесах безвыездно, не видавши ничего, кроме болот да малых деревушек своего околотка, диву дался он, когда перед глазами его вдруг раскинулись и высокие крутые горы, и красавец-город, и синее широкое раздолье матушки Волги.

Стояло ясное утро, когда он, приближаясь к городу, погонял приставших саврасок. День был воскресный и базарный, оттого народу в праздничных одеждах и шло и ехало в город видимо-невидимо... Кто спешил поторговать, кто шел погулять, а кто и оба дела зараз сделать. Слыхал Алексей, что перевоз через Волгу под городом не совсем исправен, что паромов иной раз не хватает, оттого и обгонял он вереницу возов, тяжело нагруженных разною крестьянскою кладью и медленно подвигавшихся по песчаной дороге, проложенной средь широкой зеленой поймы. На счастье подъехал он к берегу как раз в то время, как вернувшиеся с нагорной стороны перевозчики стали принимать на паром «свежих людей»... Зачем так суетился, зачем хлопотал Алексей, зачем перебранивался с перевозчиком и давал им лишнюю полтину, лишь бы скорее переехать, сам того не ведал. Ровно в чаду каком был. Ровно толкало его вон из родного затишья заволжских лесов, ровно тянул его к себе невидимыми руками этот шумный и многолюдный город-красавец, величаво раскинувшийся по высокому нагорному берегу Волги.

Город блистал редкой красотой. Его вид поразил бы и не такого лесника-домоседа, как токарь Алексей. На ту пору в воздухе стояла тишь невозмутимая, и могучая река зеркалом лежала в широком лоне своем. Местами солнечные лучи огненно-золотистой рябью подергивали синие струи и круги, расходившиеся оттуда, где белоперый мартын успевал подхватить себе на завтрак серебристую плотвицу. И над этой широкой водной равниной великанами встают и торжественно сияют высокие горы, крытые густолиственными садами, ярко-зеленым дерном выровненных откосов и белокаменными стенами древнего кремля, что смелыми уступами слетает с кручи до самого речного берега. Слегка тронутые солнцем громады домов, церкви и башни гордо смотрят с высоты на тысячи разнообразных судов, от крохотного ботника до полуверстных коноводок и барж, густо столпившихся у городских пристаней и по всему плесу.

Огнем горят золоченые церковные главы, кресты, зеркальные стекла дворца и длинного ряда высоких домов, что струной вытянулись по венцу горы. Под ними из темной листвы набережных садов сверкают красноватые, битые дорожки, прихотливо сбегающие вниз по утесам. И над всей этой красотой высоко, в глубокой лазури, царем поднимается утреннее солнце.

Ударили в соборный колокол — густой малиновый гул его разлился по необъятному пространству... Еще удар... Еще — и разом на все лады и строи зазвонили с пятидесяти городских колоколен. В окольных селах нагорных и заволжских дружно подхватили соборный благовест, и зычный гул понесся по высоким горам, по крутым откосам, по съездам, по широкой водной равнине, по неоглядной пойме лугового берега. На набережной, вплотную усеянной народом, на лодках и баржах все сняли шапки и крестились широким крестом, взирая на венчавшую чудные горы соборную церковь.

Паром причалил. Тут вконец отуманило Алексея. Сроду не вспадало ему в голову, чтоб могло быть где-нибудь такое многолюдство, чтобы мог кипеть такой несмолкаемый шум, толкотня и бестолочь. Эглушающий говор рабочего люда, толпами сновавшего по набережной и спиравшегося местами в огромные кучи, крики ломовых извозчиков, сбитенщиков, пирожников и баб-перекупок, резкие звуки перевозимого и разгружаемого железа, уханье крючников, вытаскивающих из барж разную кладь, песни загулявших бурлаков, резкие свистки пароходов...

...Вот уж он внутри кремля, на венце Часовой горы. Внизу, под крутой высокой горой, широкий съезд, ниже его за решеткой густо разросшийся сад, в нем одинокая златоглавая церковь. Еще ниже зубчатой каменной лентой смелыми уступами сбегают с высоты древние кремлевские стены и тянутся по низу вдоль берега Волги. Круглые башни с бойницами, узенькие окна из давно забытых проходов внутри стены, крытые проемы среди шумной кипучей жизни нового напоминают времена стародавние, когда и стены и башни служили оплотом русской земли, когда кипели здесь лихие битвы да молодецкие дела. Еще ниже стен виднеются кучи друг над другом возвышающихся кирпичных домов, а под ними важно, горделиво и будто лениво струится широкая синяя Волга. Влево, за множеством домов, церквей, часовен и бесчисленных торговых лавок, виднеется мутно-желтая Ока. Не уже она своей матери Волги, но, сплошь заставленная стройными рядами разного вида и устройства судов, почти не видна. За Окой в тумане пыли чуть видны здания ярмарки, бесчисленные ряды лавок, громадные церкви, флажные столбы, трех- и четырехэтажные гостиницы, китайские киоски, персидс-кий караван, минарет татарской мечети и скромный куполок армянской церкви, каналы, мосты, бульвары, водоподъемная башня, множество домов каменных, очень мало деревянных и один железный.

То и дело взад и вперед, вверх и вниз по Волге, пыхтя черными клубами дыма, бегут пароходы. Дробя речные струи на седые волны и серебристую пыль, поражая слух нескончаемыми свистками, мчатся они мимо города. Нигде по России, ни в Петербурге, ни в Одессе, ни в Кронштадте, ни в других приморских портах никогда одновременно не бывает и третьей доли стольких пароходов и стольких парусных судов. Это внутренний русский порт, как назвал его Петр Великий. А за широким раздольем Волги иной широкий простор расстилается. Зеленые заливные луга, там и сям прорезанные серебристыми озерами и речками, за ними ряды селений, почти слившихся одни с другими, а среди их белые церкви с золочеными и зелеными верхами. А за теми за церквами и за теми деревнями леса, леса и леса. Темным кряжем далеко они протянулись, и с Часовой горы не видать ни конца им, ни краю. Леса, леса и леса!

ВЗОРЫ
РЕК

Великий русский историк Василий Осипович Ключевский в своем знаменитом «Курсе русской истории» в главе «Впечатления от русской равнины» пишет: «Припоминая, как с высоты нижегородского кремля любовались видом двигавшегося перед нашими глазами могучего потока и перспективой равнинной заволжской дали, мы готовы думать, что древние основатели Нижнего, русские люди XIII в., выбирая опорный пункт для борьбы с мордвой и другими поволжскими инородцами, тоже давали себе досуг постоять перед этим ландшафтом и, между прочим, под его обаянием решили основать укрепленный город при слиянии Оки с Волгой».

Трудно отыскать на карте Европы город, подобный нашему, город, который бы встал на древнем шеломе крутой горицы, венчая башнями своего кремля объятие двух царственных равнинных рек!

С 1445 года — пятьсот пятьдесят ни один враг не всходил на вершину Часовой горы. Может быть, воистину благословенный образ основателя Нижнего Новгорода святого князя Юрия Всеволодовича хранит эту землю от пришельцев и недругов?

Видно, с добрым и великим помыслом в 1221 году, скорее всего на закате лета, положили наши предки на нынешних кремлевских взгорьях первый венец первого сруба, от которого и начинается дом наш — град Нижний!

Волга и Ока издревле определили природу этого края, его историю, хозяйственный уклад и особенности человеческих характеров. Здесь сформировались язык, культура, нравственный и общественный мир великорусского народа.

Именно в междуречье Оки и Волги родилась и утвердилась наша государственность. Ее сердцевина — Владимиро-Суздальская, а затем и Московская Русь. С их историей от первого дня сквозь века связана более чем семисотсемидесятилетняя дорога Нижнего Новгорода.

...В ясную погоду с нижегородского Откоса видно на десятки километров. Узнаются даже Кирилловы горы, на которых живет ровесник Москвы —

(1650)... В книжной лавке Московского печатного двора было продано ... святого Успенского монастыря архимандриту Иоакиму, нижегородцу Богдану Ананьеву, Лариону Федотову семьсот четырнадцать азбук... и нижегородцу Ивану Васильеву 300 азбук по две деньги азбука...
Нижегородский край в документах...

древний Городец. Это там, в городецком Федоровском монастыре опочил в ноябре 1263 года, возвращаясь из Орды, князь Александр Невский... Мы помним, что «Житию Александра Невского» предшествовало в одном из списков «Слово о погибели русской земли» — удивительный сплав драматизма и лирики. Оттого, думается, прав историк В.О.Ключевский, говоря, что давние обитатели Нижнего не меньше нас любили встречать на этих холмах по-над Волгою рассветы, провожать закаты...

Помните удивительную строку у протопопа Аввакума, что родился «в Нижегороцких пределах, за Кудьмою-рекою, в селе Григорове», эта строка — словно сдержанный вздох светлой и страдальческой души: «...а очи сердечнии при реке Волге».

Открытый на безмерный простор, на луговые дали Нижний Новгород остается примером того, что академик Д.С.Лихачев называет историческим ландшафтом.

Русские кремли... Щиты Московии...

Узорчатый московский. Коренастый, полный внутренней силы детинец Пскова. Мужественное творение зодчего Федора Коня — Смоленская крепость. Просторное, уверенное окруженье кремля в Новгороде Великом...

И все же в этой славной чреде Нижегородский кремль особый среди

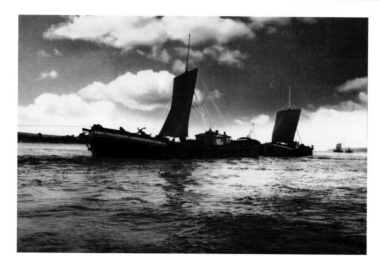

Волга долго и неохотно
прощалась с парусами

It took the Volga river a long
time to unwillingly bid farewell
to sails

памятников оборонного зодчества Руси — он воистину нагорный, и зодчие свершили чудо не только во славу фортификации, но и во имя красоты. Кремль словно вырастает из волжских круч и неторопливыми ступенями спускается к реке. Он покоится на груди огромного гористого мыса, как державное ожерелье, и его тринадцать башен — памятные каменья различной формы и выразительности. Похожесть их — это лишь для невнимательного рассеянного взгляда.

Дятловы горы.
Вид с левобережья Оки

The Nizhny Novgorod
mountains. View from the left
bank of the Oka river

В XVII веке боевая служба кремля заканчивается. В XVIII веке были срезаны, уменьшены зубцы, сняты кровли, затем разобраны предмостные сооружения, засыпаны рвы, срыты валы. В 1896 году Дмитриевская башня была перестроена по проекту архитектора Н.В.Султанова для художественно-исторического музея.

Земля Нижегородского кремля. Здесь каждая пядь мемориальна, ибо незримо сохраняет память столетий. Здесь стоял Юрий Всеволодович, здесь звучал голос Сергия Радонежского, это здесь уставшие от притеснений нижегородцы в 1374 году истребили отряд ордынцев, в эти стены, после победного похода на Казань, под гул всех колоколов вступал молодой царь московский Иван IV, здесь рождалось во имя спасения отечества ополчение Минина и Пожарского, томилась в заточении знаменитая Марфа Посадница и «разинские люди» ожидали казни.

Самым старинным в городе храмом остался Архангельский собор в нижегородской крепости. Это собор-памятник. Если прославленный Василий Блаженный в Москве воздвигнут в честь взятия Казани, то Архангельский собор в Нижнем — это благодарная память земляков минискому ополчению.

Он возведен на месте старого, деревянного, в 1631 году зодчим Лавреи-

(1786)... В субботу, т.е. 13 июля, по приглашению нижегородского архиерея Дамаскина, были мы... с Иваном Михайловичем Ребиндером и со многими из нижегородского дворянства на публичных диспутах тамошней семинарии. Ученое сие собрание открыто было семинарскими студентами, которые говорили речи на всяких языках, между прочим чувашском и черемисском, марийском; после чего начались самые диспуты, сперва философские, а потом богословские о разных материях, в которые вмешивался иногда и сам архиерей
А.В.Орлов

тием Возоулиным и его пасынком Антипом Константиновым.

В соборе покоится прах Кузьмы Минина. Над ним склонены знамена нижегородских ополчений 1612 и 1812 годов. Времена сомкнулись! И в утренние часы тень собора касается плит мемориала нашим землякам, павшим в 1941-1945 годах. На стеле имена более трехсот нижегородцев, удостоенных звания Героя Советского Союза.

Гармонично вписался в этот мемориал и самый старый памятник в Нижнем — обелиск в честь Минина и Пожарского.

Известно, что когда в начале XIX века родилась мысль о сооружении

По царскому указу «нижегородцы горячо принялись за сбор меди. Толпы народа помогали спускать на канатах тяжелые колокола и разбивать на куски, годные к перевозке. Один только Печерский монастырь дал 450 пудов лому, а по общему сбору металла для пушек Нижегородский край оказался в России на первом месте.»
Д.Н.Смирнов

Михайло-Архангельский
собор

Archangel Michael Cathedral

Вид Нижнего Новгорода
в 30-х годах XVII века.
С рисунка Адама Олеария

Nizhny Novgorod in the thirties
of 17th century.
*After a sketch by Adam
Olearius*

памятника героям Нижегородского ополчения 1612 года, наши земляки «по-минински» подкрепили эту идею материальными вкладами. Но памятник, созданный И.П.Мартосом, был установлен в Москве, на Красной площади, 30 февраля 1818 года. Может, это было и справедливое решение — первопрестольная только что пережила нашествие Наполеона и великий пожар. В Нижнем Новгороде обелиск был открыт в 1828 году, горельефы создал И.П.Мартос, а его зять, зодчий А.И.Мельников, стал автором архитектурного решения обелиска. К сожалению, на пути следования памятного камня — а везли его по Мариинской системе из Петербурга — обелиск упал и получил трещину во время перегрузки с одного судна на другое.

В 1621-622 годах, за десять лет до окончания строительства Архангельского собора, создается «Писцовая книга» города. Это подробное описание его обитателей, их занятий. Это — зеркало городского быта.

К первой половине XVII века относится и наиболее раннее из дошедших до нас изображений Нижнего Новгорода — в книге «Описание путешествия в Московию» гольштинского посла Адама Олеария. Он, отправляясь в Персию, был в нашем городе в 1634 году.

Любопытно, что вместе с ним путешествовал Пауль Флеминг, выдающийся немецкий поэт эпохи Тридцатилетней войны. В своих стихах он — наверное, первым в Европе — воспел Волгу, Каму, «великий город Москву». Примечательные по деловому подходу к нижегородской жизни сведения оставил в своих записках голландский мастер «парусных дел» Я.Стрейс: «Нижний хорошо укреплен каменным валом и башнями, оружием и солдатами... Здесь можно дешево поесть и все легко достать, как-то: мясо, сало, рыбу, масло, сыр и пр. За грош можно купить локоть полотна на

Церковь Жен-Мироносиц над
Почайною - один из самых
древних нижегородских
храмов

The Wives-Peacebearers'
Church over Potchaina — one
of the most ancient temples in
Nizhny Novgorod

морскую рубаху и на те же деньги столько рыбы, сколько не в состоянии
съесть четыре человека».

Еще ранее, в 1623 году, российский купец Федот Котов в своем «Хож-
дении в Персию» писал о Нижнем: «Нижний Новгород обнесен высокими
каменными стенами, стоит высоко на холмах. Часть посадов обнесена часто-
колом, а другие лежат за городом. Здесь сливаются Ока и Волга. Возле посадов выше города меж гор в степь течет ручей, называемый рекой Поганой.
Нижний Новгород стоит на горной стороне. Посады находятся в городе, и
около города по долам и по обрывам. От Нижнего Новгорода 120 верст до
Василь-города».

Таковы скупые описания нашего города той давней поры... Но все же
будем благодарны превратной судьбе: на территории «старого града» сохранилось и дошло до нас немало памятников зодчества тех лет.

Они сгруппированы как бы в три островка: ансамбль Печерского
монастыря, строения Благовещенской обители и пять разрозненных памятников на относительно небольшом удалении между Почаинским оврагом и
Похвалинским съездом, на участке, примыкающем к берегу Волги.

Все, что дожило до нас от XVII века, — бесценно. Надобно с сыновним
участием относиться к тем крохам великого наследия, пусть порою даже
изуродованного до неузнаваемости перестройками, которые дошли до нас,
израненными и усталыми, чтобы поведать миру о нашей истории.

Над Почаинским оврагом, в начале нынешней улицы Добролюбова, стоит
здание, в объемах которого угадывается бывшая церковь. Глав давно нет,
фасад обезображен... Но это один из старейших нижегородских храмов —
церковь Жен-Мироносиц. Она построена в 1649 году, на месте деревянной,
которая существовала здесь с XIV века. Это была пятиглавая церковь на
высоком подклете с трапезной и каменным крыльцом... Перестройки каса-
лись ее и в XIX веке. Нам теперь остается лишь далекая надежда на те

времена, когда найдутся средства и талантливые души, которые воссоздадут эту красоту в ее изначальном облике...

Если пройти вверх по улице Добролюбова, мы выйдем к началу Крутого переулка. Здесь, отчужденная от волжского простора многоэтажной громадой, словно дивный цветок возле тяжкого пня, глянет на вас небольшая церковка, возносящая к небу пять легких куполов. Барабаны главок украшены цветными изразцами... Церковь Успенья на Ильинской горе. Известно, что построена она в 1672 году на деньги богатого купца А.Ф.Олисова. Исследователи утверждают, что это уникальный памятник древнерусской архитектуры, единственный, где в камне использован прием деревянного зодчества — «крестовая бочка на четыре лица». В XIX веке она была обезображена пристроями, так что еще тридцать лет назад было трудно догадаться о ее подлинном образе, напевном и радостном... Неизвестные нам строители сроднили ее талантом своим с животворным обаянием сельских храмов Заволжья и Севера. Значит, прав был современник этих мастеров изограф

Радостным взором, кроткой добротой отличается Успенская церковь на Ильинской горе

The Uspenye Church on the Ilyinskaya Mountain is distinguished by its joyous outlook and gentle kindness

Иосиф Владимиров, когда изрек в своем трактате: «Не следует истина за обычаем…»

В старорусских городах можно найти памятники церковного зодчества XVII века. Их помнят поименно. А вот жилые каменные здания, палаты торговых людей и раньше были редки, а до наших дней их дошли единицы. Будем благодарны, что, несмотря на превратности и случайности времени, в Нижнем Новгороде сохранились три таких памятника. Одно здание, в том же Крутом переулке, принадлежало купцу Олисову, что возводил церковь Успенья. Дом был построен на рубеже XVII - XVIII веков. В 1970-х годах он был отреставрирован (кроме третьего, деревянного этажа) и привлекает своим высоким крыльцом, сдержанным декором окон…

Недалеко от него, на улице Гоголя (дом 53) находятся палаты Пушникова, в которых, по существующему предположению, в 1722 году, двигаясь по Волге в Персидский поход, Петр I отмечал свое пятидесятилетие. Палаты состоят из двух объемов, где жилые помещения занимают второй этаж, а на

Главы церкви Успенья, словно пять сказочных цветов, собранных в праздничный букет

The cupolas of the Uspenye Church are like five fabulous flowers arranged into a festive bouquet

первом расположены различные хозяйственные службы. К сожалению, не сохранилось внутреннее убранство: лепка и роспись, исполненные в духе петровской эпохи. Этот памятник, как и дом Олисова в Крутом переулке, обычно датируется рубежом семнадцатого-восемнадцатого веков.

С именем Петра I (время его первого Азовского похода в 1695 году) связывают так называемый дом Чатыгина. Это самое старое здание из сохранившихся в нашем городе жилых построек. Памятник датируют концом XVII века, он находится на Почайной улице (дом 27). Тут сохранилась изразцовая печь XVIII века. В девяностые годы прошлого столетия это старинное здание, где размещался первый в городе исторический музей, было несколько видоизменено: к нему пристроили крыльцо в модном в ту эпоху псевдорусском стиле.

В наши дни в доме Чатыгина находится Нижегородское отделение Общества памятников истории и культуры.

В 1857 году, осенью, Тарас Григорьевич Шевченко, возвращаясь из ссылки в Прикаспийском крае, был вынужден надолго остановиться в Нижнем. Он совершает прогулки по городу и его окрестностям, с особым увлечением

Эти окна видели три века истории отчего города

These windows were eye-witnessing three centuries of the native city's history

Каменные палаты купца Пушникова - почтенные старожилы города на Волге

A stone mansion of the merchant Pushnikov is an honorable ola-timer of the city in Volga

Стены дома Чатыгина помнят голос царя Петра I. В 1695 году молодая Россия шла волжским путем в Азовский поход

The walls of Tchatygin's house remember the voice of Peter the Great, the Tzar of Russia. In 1695 the young Russia went by the Volga way to the Azov trip

 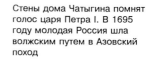

Семь с половиной веков
Благовещенский монастырь
провожает воды Оки

Seven and a half centuries the
Blagoveshtcenie Cathedral
looks at the waters of Oka

рисует старинные церкви. В своем «Дневнике» от 30 октября он пишет: «Пользуясь погодой, я совершил прогулку вокруг города с удовольствием и не без пользы. В заключение прогулки нарисовал Благовещенский монастырь. Старое, искаженное новыми пристройками здание. Главная церковь, колокольня — не совсем уцелели от варварского возобновления. Остались только две башни над трапезной неприкосновенными. И какие они красавицы! Точно две прекрасные, чистые отроковицы грациозно подняли свои головки к подателю добра и красоты и как бы благодарят его, что он заступил их от руки новейшего архитектора. Прекрасное, ненаглядное создание!»

Взгляд великого кобзаря, художника, ученика К.П.Брюллова, не случайно остановился на удивительном двухшатровье Успенской церкви при трапезной палате Благовещенского монастыря. В подклете храма находились кладовые и монастырская кухня. Строительство Успенской церкви относят к 1649-1652 годам. Рядом возвышается колокольня, примыкающая к корпусу монашеских келий.

Конечно, центром древнейшего нижегородского монастыря (а возник он, как уже говорилось, почти одновременно с городом) всегда был Благовещенский собор, построенный в 1649 году. Это монументальное, чуть тяжеловатое здание, с севера и с запада обрамленное галереей с арочными проемами. Собор венчает пятиглавие со шлемовидными куполами. В едином ансамбле с Благовещенским храмом находится церковь св. Сергия. Очень интересен жилой монастырский корпус, стоящий на приречном крае обители.

В 1821-1834 годах была сооружена пятикупольная Алексеевская церковь монастыря с четырьмя классическими портиками. Ныне здание имеет сферическое перекрытие, здесь находится городской планетарий. Хочется верить, что в недалеком будущем планетарий обретет современное помещение, а Алексеевская церковь возвратится к верующим.

Возникновение Алексеевской церкви — не случайно, так как Благовещенский монастырь в анналах нижегородской истории связан со святым Алексием. Митрополит Алексий бывал в Нижнем по дороге в Золотую Орду. Как говорят местные предания, он останавливался в лесу, близ монастыря, и совершал скромную трапезу, которая состояла из сухарей и ключевой воды. Это место было в конце нынешнего Похвалинского съезда. И здесь устанавливалась часовня еще в давние времена, сначала деревянная, а потом каменная. Последний раз ее отстраивали в 1846 году, вблизи родника, что и ныне бьет из-под горы. В советское время Алексеевская часовня была разрушена...

От Большой Покровки к окраинным кварталам проходил путь, проложенный по дамбе на Арестантской площади (современная площадь М. Горького); справа к дамбе прилегал большой пруд, у берега его на большом плоту стояла ручная пожарная машина, рядом с ней плотомойня, где городские хозяйки полоскали белье. За прудом шла Прядильная улица, с длиннейшими при каждом доме усадами, на которых нижегородские мещане-прядильщики крутили ручным способом тамбовскую «сасовскую» пеньку, превращая ее в веревки и волжские снасти. По берегу илистого пруда рос густой камыш... В осенние ночи камыш с глухим шумом волновался, раскачиваясь на ветру. Место за камышом было безлюдное, пустынное. Старые люди передавали, что в дни их молодости в камышах водились кулики и утки...

Ф.П. Хитровский

Благовещенский монастырь, построенный на узкой террасе, образовавшейся еще до основания города от какого-то грандиозного оползня, — необычайно красив. Он празднично выглядит с левого берега Оки в летнее полдневье, он удивителен, если на него смотреть со склона горы.

Благовещенский монастырь — это одно крыло, западная веха старого Нижнего, что стоит, прощаясь с Окою.

Печерский монастырь — на восточном рубеже Нижнего Новгорода давних лет. Он также приютился на половине склона, встречая великую Волгу, уже вобравшую в себя окские воды.

Николай Иванович Храмцовский, один из первых историков города, писал в середине прошлого столетия: «Монастырь этот был основан св.Дионисием между 1328 и 1330 годами, во время великокняжения Иоанна Даниловича Калиты, когда Нижний Новгород был пригородком суздальским и принадлежал Александру Васильевичу, старшему брату основателя Княжества Нижегородского. Неизвестно, где родился св.Дионисий и кто были его родители, но первые подвиги и искус иноческий он проходил в Киевском Печерском Монастыре, где пострижен в монашество и получил священнический сан. Подражая Преподобному Антонию Печерскому в деле иноческого подвижничества, он вздумал основать обитель, подобную Киево-Печерскому Монастырю, для этого пришел в Нижний Новгород с несколькими иноками, принеся с собою икону Печерской Божьей Матери.

В трех верстах от тогдашнего Нижнего Дионисий ископал собственными руками пещеру, где и поселился со своими спутниками; когда потом к нему стали стекаться желающие разделять его уединение, он основал монастырь с церковью Вознесения Господня. В этом монастыре он сделался первым сначала с титлом игумена, а потом архимандрита...»

Печерский монастырь, остатки Печерской слободы, лесистые склоны, паутина тенистых дорожек, студеная вода говорливых родников делают этот уголок полуторамиллионного города тем заповедным местом, где не утрачено ощущение живой природы, свежести волжского простора в соседстве с вдохновенным памятником древнерусского искусства — ансамблем Печерского монастыря. Не зря же многие поколения художников обошли здесь, кажется, каждую пядь земли, работая над этюдами. И все же, если говорить об иконографии этого исторического ландшафта, как-то сразу вспоминается великолепное полотно Алексея Константиновича Саврасова «Печерский монастырь близ Нижнего Новгорода», написанное в 1871 году и хранящееся в Нижегородском художественном музее. И каждый раз, когда случается в звонкий мартовский день или в светлоликую пору погожей осени идти по дороге к Печерам, в памяти всплывают слова старого русского писателя: «...придется быть в Нижнем Новгороде, сходите поклониться Печерскому монастырю».

Печерский монастырь, основанный Дионисием, обитель, где инок Лаврентий писал свою знаменитую летопись, находился не там, где ныне возвышаются постройки XVII века. Он был ниже по Волге версты на полторы. Старый монастырь, как известно, пострадал от оползня. Уже в год катастрофы обитель начали возрождать на новом месте, ближе к городу. Строительство основных храмов и построек шло довольно быстро и связано с именем знаменитого зодчего Антипа Константинова. Оттого и ансамбль Печерской обители отличается цельностью и единством стиля.

В 1632 году возводится пятиглавый Вознесенский собор, в том же году сооружается колокольня, через тринадцать лет заканчивается строительство

надвратной церкви Евфимия Суздальского и братских келий, а в 1648 году — Успенской церкви с монастырской трапезной. В XVIII веке ансамбль дополнится Петропавловской церковью (1738 г.), будут построены архиерейские палаты, а в 1760-х годах появится монастырская ограда с небольшими круглыми башенками, под деревянной кровлей и с флюгерными шпилями. Стены Печерского монастыря, в отличие от мощных укреплений монастырей старорусской постройки, не несут никакой оборонительной роли. Они ограждают «от мира» и не рассчитаны, как прежде, на отражение врага.

Необыкновенное чувство умиротворения и уютного покоя вызывает эта обитель, что, словно задремав, прижалась к зеленому склону, по которому взбираются заброшенные сады...

Говоря о памятниках Нижнего Новгорода, относящихся к XVII столетию, надо назвать еще два сооружения, ныне трудно узнаваемых из-за «новаторских» перестроек. Это церковь Иоанна Предтечи, что стоит перед Ивановской башней кремля, и Ильинская церковь, построенная в 1655 году. Выдающимся памятником русского зодчества является храм Смоленской Богоматери, построенный Строгановым, знаменитым солепромышленником, в его загородном селе Гордеевке за Окою (ныне Канавинский район Нижнего Новгорода). Это пятиглавый храм с колокольней. В его внешнем убранстве использован резной белый камень, поливная черепица, полуколонны с коринфским ордером. Гордеевская церковь, поставленная в 1697 году, закрывает перечень нижегородских архитектурных памятников XVII

Ансамбль Нижегородского Печерского монастыря и полтора столетия назад привлекал к себе художников

The ensemble of the Petchersky Cloister attracted artists a century and a half ago

В начале XX века Печерский монастырь оставался за городской чертою и был воистину тихою обителью

At the beginning of the 20th century the Petchersky Cloister was still outside the city boundaries and it was indeed a quiet abode

В Печерской обители находился старинный некрополь, где покоились несколько поколений нижегородцев

There was an ancient necropolis in the Petchersky abode where the remains of several generations of Nizhny Novgoroders rested in peace

века и одновременно является как бы молчаливым предисловием к торжественному звучанию изысканного стиля и красоты своей другой сестры «строгановской школы» зодчества — Церкви Рождества. Нельзя побывать в Нижнем Новгороде и хотя бы мимоходом не полюбоваться этим удивительным храмом, где изысканность не нарушает гармонии.

Рождественская Строгановская церковь датируется 1719 годом.

В XVIII веке, блистательном столетии Российской империи, Нижний оставался в основном деревянным, а по числу населения не превосходил своего «младшего брата» — церковно-купеческий Арзамас.

И все же та эпоха сохранилась на улицах волжского города рядом примечательных зданий. Это трехэтажный каменный дом по Варварской улице дом 4, где была первая городская аптека Эвениуса. Старинное здание — одно из немногих, которые дошли до наших дней от первоначальной застройки города, связанной с планом 1770 года.

На территории кремля, рядом с Архангельским собором стоит дом вице-губернатора, возведенный в 1788 году по проекту архитектора Я.А.Ананьина. Памятью творчества этого зодчего в нашем городе остался также и дошедший фрагментарно дом архиерея Дамаскина (Д.Руднева), выдающегося ученого. Сохранившееся здание можно видеть на улице Ульянова внутри двора дома 10, оно выделяется своим четырехколонным портиком.

В Нижнем, как и в каждом старом русском городе, есть улицы, где история хранит свои образы, воплощенные в камень. И пусть разрозненны, а порою ветхи эти фрагменты, но именно по ним познаем мы прошлое, стыдимся своего невежества, скорбим, поняв свою бездумную расточительность. С дивным чудом Строгановской церкви, на которую мы любовались, тихо и спокойно соседствуют усадьбы Строгановых (1827 г.) и Голицыных (1821—1837 гг.) (по нынешней нумерации домов улицы Маяковского, бывшей Рождественской, это строения 45 б,в и 47 б,в). Они характерны для строгого классицизма начала столетия. К тому же времени относится и дом Строгановых, что встал на склоне горы, чуть поодаль от церкви Рождества…

Главная улица старого Нижнего — Большая Покровка. Украшением ее

У Ивановского съезда

Peddiers The Ivan Descent

вот уже почти сто семьдесят лет остается здание с четырехколонным иони- ческим портиком на углу Покровки и бывшей Дворянской (ныне Октябрь- ской) улиц. Главный губернский архитектор И.Е.Ефимов подготовил проект и смету этого особняка в 1822 году, а в 1826 нижегородское дворянство торжественно отметило здесь открытие своего собрания.

В двух минутах ходьбы от дворянского собрания, на Лыковой дамбе, над Почаинским оврагом стоит дом Добролюбовых, а рядом доходный дом, также принадлежавший отцу Н.А.Добролюбова.

В 1840-1847 годах здесь снимал квартиру известный музыкальный кри- тик, театровед, а в молодые годы дипломат и сотоварищ Пушкина по кружку «Зеленая лампа» Александр Дмитриевич Улыбышев. Место, где в 1838-1840 годах по проекту архитектора Г.И.Кизеветтера были построены «добролю-

Иконостас Строгановской церкви озарен торжественным золотом

The iconostasis of the Stroganov Church is lit up by the solemn gold

(1636). Да еще, государь, в шестой четверг после Пасхи, на праздник Вознесения Христова... в Печерский монастырь ходят - от города отстоит две версты - из города мужи и жены, из сел и из деревень съезжаются, а корчмари, государь, с кабаками и со всяким пьяным питьем, а игрецы и медвежатники и скоморохи... И собравшись к тому Печерскому монастырю, пытаются праздновать таким образом: медвежатники с медведями и плясовыми псицами, а скоморохи и игрецы с личинами и бубнам и и с сурнами и со всякими сатанинскими блудными прелестями, пьянствуют, пляшут и в бубны бьют и в сурны ревут и в личинах ходят... *Нижегородский край в документах...*

бовские» дома, как-то мало посещаемо и гостями и нижегородцами. А ведь здесь, над зеленой котловиной оврага, — одна из красивейших смотровых точек в Нижнем. А.Д.Улыбышев, много поездивший по дальним краям, пишет в своих «Записках»:

«Из окон является великолепнейший вид в России: кремль на горе с зубчатой стеною и пятиглавым собором, блестящая, как серебро при свете полной луны, Волга, глубокая пропасть, наполненная темной зеленью и лачугами, через которые идет Лыковая дамба; амфитеатр противоположной части города, спускающегося там живописными уступами до самой реки; наконец, необъятная, величественная, суровая панорама Волги. Таких ландшафтных картин мало в Европе!..»

Старый Нижний был спланирован так, что его основные улицы нагорной части стрелами сходились на Благовещенской площади (ныне площади Минина и Пожарского). Принимая притоки улиц, ее пространство как бы отступает к кремлевской стене, а с северной стороны вырывается к простору, к Волге, к раздолью заречных лугов, отороченных где-то у горизонта сиреневой полоской лесных владений.

В перестроенном и надстроенном главном здании Нижегородского педа-

Столетия оставили на городских улицах свою память

Centuries are imprinted in the memory of the streets

Церковь Благовещения
подарила свое имя главной
площади Нижнего Новгорода

The main square of Nizhny
Novgorod is named after the
Blagoveshtchenye Church

гогического университета трудно угадать облик Нижегородской мужской гимназии, спроектированной архитектором А.Л.Леером. А это было славное учебное заведение, которое подарило России немало выдающихся сынов. Назову лишь некоторых из них: писатель П.И.Мельников-Печерский, академик живописи П.А.Веденецкий, выдающийся химик А.В.Фаворский, композиторы М.А.Балакирев, С.М.Ляпунов, китаевед В.П.Васильев, математик А.М.Ляпунов, геофизик Е.К.Федоров, основоположник отечественной экологии биогеограф А.Н.Формозов, историк, создатель знаменитых Высших женских (бестужевских) курсов К.Н.Бестужев-Рюмин, классик белорусской литературы поэт М.А.Богданович, романист П.Д.Боборыкин, философ «серебряного века» В.В.Розанов... Этот список можно очень долго продолжать!

Самым старинным и сохранившим внешний вид без утрат осталось на площади здание бывшей духовной семинарии, построенное по проекту И.И.Межецкого в 1826—1828 годах. Это довольно лаконичное строение, несколько разряженное ризалитом, что на уровне второго и третьего этажей украшен восьмиколонным портиком, упирающимся на аркаду первого. Первый этаж традиционно для того времени обработан рустом.

Семинария, где теперь находится часть учебных помещений Нижегородского педагогического университета, также знаменита своими питомцами. В 1848—1853 годах здесь учился Николай Александрович Добролюбов. Семинаристом был Василий Порфирьевич Вахтеров, известный педагог. «Русский

букварь», который он составил, выдержал больше ста изданий. В семье профессора Лаврского, жившего при семинарии, родилась Александра Потанина, путешественница, исследователь Тибета и Монголии.

В старом Нижнем есть одна удивительная улица, которая, рождаясь возле бывшего Крестовоздвиженского монастыря на приокской круче, раскатисто и свободно устремляется к берегу синеющей вдали Волги. Это Ильинская улица. Верхние кварталы ее — страшная смесь шипельно-суровых пятиэтажек шестидесятых годов и старенький, ветхих домиков, сохранившихся от старого Нижнего. Оставляя по левую руку бывшие ямские слободы — Ямские улицы, перебежав бывшую Полевую, что когда-то была южной границей города, Ильинка, словно веселая река, набирается силы, а «берега» ее, ее строения становятся интереснее и привлекательнее...

Дома на улице Ильинской — разнолики, фасады их то строги и сдержанны, то несколько помпезны. Усадьба Рябининой возле Вознесенской церкви датируется серединой прошлого века, перед самой революцией был построен особняк А.Маркова (дом 67) с великолепными интерьерами в стиле модерн, мраморными лестницами и витражами.

Об архитектуре 1840-х годов расскажет дом Фролова с его характерным фасадом; 1880-е представит особняк Г.Пачкунова (дом 58), 1890-е — особ-

няк А.Чеснокова (дом 60), модерн снова напомнит о себе в архитектуре дома
под номером сорок шесть. Ильинка прошествует через площадь «пять углов»,
где с левой стороны ютится «домик Каширина», известный всему миру по
горьковской повести «Детство», минует Крутой переулок с его древними
строениями XVII века, выйдет и остановится на краю Откоса над Волгою,
над той частью Нижневолжской набережной, где стоят причалы пассажир-
ского порта, где вечное место встреч и разлук. Отсюда, с вершины, видны
крыши Блиновского пассажа, который в 1870-х годах строили зодчие Л.Даль
и Д.Ешевский, и готические башенки обращенного к Волге фасада бывшего
банка Рукавишниковых (его построили по проекту архитектора Ф.Шехтеля).
И снова перед нами волжский простор, и снова необъятные дали Заволжья...
    1913 год был особым в истории России. Империя отмечала трехсотлетие

Нижегородское правосудие
размещалось на Большой
Покровке

The justice in Nizhny Novgorod
was administered in Bolshaya
Pokrovka street

В мае 1913 года Н.Новгород был встревожен новыми событиями. Праздновалось трехсотлетие дома Романовых, и город готовился к встрече царя, который путешествовал по волжским городам на пароходе «Межень».

В солнечное утро 17 мая все учащиеся в белых рубашках были построены на Благовещенской площади около кремлевской стены. Недалеко от Благовещенской церкви высился деревянный силуэт предполагаемого бронзового памятника Минину и Пожарскому (скульптор В.Л. Симонов, р.1879). Все улицы были заполнены народом, сдерживаемым шпалерами войск н полиции. Прошли долгие часы ожидания, и наконец около трех часов дня показалась коляска, окруженная конными казаками. Грянул оркестр, заглушивший крики «ура!», и коляска с царем медленно покатилась вдоль фронта учащихся

Ф.О. Богородский

дома Романовых. Избрание на русский престол Михаила Романова означало конец Смутного времени, но решающим событием этого периода истории была победа над польско-литовско-шведской интервенцией, одержанная благодаря подвигу нижегородского ополчения.

Купечество и промышленники Нижнего — «кармана России» решили построить свой новый банк как памятник этому событию. Был объявлен конкурс, в котором приняли участие такие выдающиеся зодчие того времени, как братья Веснины и Ф.Шехтель (уже работавшие для Нижнего Новгорода). Но первое место было присуждено академику архитектуры В.А.Покровскому. Строительство продолжалось всего два года — 1911-1913. Место для новостройки было найдено на углу Большой Покровской и Грузинской улиц.

Отличительная черта
процветающей столицы
русского купечества - здания
новых пароходств и банков

A distinguishing trait of the
Russian merchantry's —
flourishing capital buildings of
new steamship-lines and banks

Проект был решён в модном тогда неорусском (или «русском ретроспек-тивном») стиле.

Величественное здание с полукруглыми башнями, парадным крыльцом, внешне напоминающее крепость, отделано уральским гранитом, богато украшено резьбой. Его фасады, чуть отступя от красной линии, протянулись вверх по Покровке и вдоль Грузинской улицы.

Вестибюли, операционные залы напоминают царские палаты. По эскизам И.Билибина многочисленные росписи стен и потолков были выполнены художниками братьями Г. и Н.Пашковыми. В здании всё — от мебели до люстр и светильников — выдержано в одном стиле. В интерьерах использо-

«Блиновский пассаж» - одно
из примечательных зданий на
«Нижнем базаре»

The «Blinovsky Passage» —
one of the noteworthy buildings
in «Nizhny Bazaar»

Процветала ярмарка
и купечество - хорошели
городские улицы

Both the fair and the
merchantry were flourishing —
the streets were growing
better-looking

Чайная «Столбы» была
популярна у городских низов

The tea-room «Stolby» was very
popular with the lower classes
of the city

вана керамика, ковка по металлу. Декоративное убранство всего ансамбля продумано до малейших деталей, фонари, решетчатые ворота во дворе и многие другие «мелочи» создают единую композицию.

С 1913 года по наши дни здание используется по своему прямому назначению. Одно время, в годы гражданской войны, здесь хранилась значительная часть золотого запаса России.

Нижний — давний театральный центр. В 1998 году местному драматическому театру исполнится двести лет. Он начинал свою историю с крепостной труппы, принадлежавшей князю Шаховскому. Вначале спектакли шли на ярмарке в Макарьеве, затем в Нижнем на углу Осыпной и Большой Печерки было построено деревянное здание театра. В XIX веке нижегородская земля дала русскому сценическому искусству двух выдаю-

Здание Нижегородского банка было построено к трехсотлетию дома Романовых. В годы гражданской войны в его подвалах хранилась значительная часть золотого запаса России

The buiiding of the Nizhny Novgorod city bank was erected to the three-hundredth anniversary of the House of Romanovs

щихся актрис: Пелагею (Полину) Стрепетову, которая была уроженкой Нижнего, и Любовь Павловну Никулину-Косицкую, юными годами жизни, дебютом связанную с нашим волжским городом. На сцене Нижегородского театра в разные годы гастролировали М.С.Щепкин и М.Г.Савина, Г.Н.Федотова и М.Н.Ермолова. В 1894 году здесь дебютировал молодой актер К.С.Алексеев (Станиславский).

Новое здание городского театра было построено в 1894-1896 годах на Большой Покровке. Автором проекта был известный архитектор В.А.Шретер. Непосредственно работами руководил нижегородский архитектор

П.П.Малиновский, автор Нижегородского народного дома, где после реконструкции уже более полувека находится Нижегородский академический театр оперы и балета им. А.С.Пушкина.

Новое театральное здание строили на небольшой уютной площади, значительно отступив от красной линии улицы. Передняя часть главного фасада украшена аркатурой балкона. Входы первого этажа имеют также полуциркульное завершение. Здание покрывают лепные украшения, ими богаты и внутренние помещения, зал, фойе. В стиле угадывается так называемая «академическая эклектика».

В первые же дни своей жизни (а эта архитектурная премьера была приурочена к открытию Всероссийской промышленно-художественной выставки) театр стал свидетелем рождения большого таланта. Именно нижегородские гастроли Федора Ивановича Шаляпина вызвали первый успех, который уже не прерывался. Видела эта сцена и великую В.Ф.Комиссаржевскую. Несомненно, историю Нижегородского театра драмы первой половины нашего столетия нельзя представить без такой выдающейся фигуры, как народный артист РСФСР Николай Иванович Собольщиков-Самарин. В труппе в разные годы играли народные артисты СССР Б.Ф.Щукин, А.Н.Самарина, народные артисты РСФСР В.Н.Давыдов, В.И.Разумов, В.М.Соколовский, Н.А.Левкоев.

После смерти Н.И.Собольщикова-Самарина в 1945 году двенадцать лет в театре как актер и режиссер работал народный артист СССР Н.А.Покровский.

Но покинем Большую Покровку и выйдем к Откосу, к Волге.

Есть два русских слова: ласковое «раздолье» и гордое, рожденное высоким

В 1896 году Большая Покровка украсилась новым зданием городского театра

In 1896 a new building of the city drama theatre adorned Bolshaya Pocrovka street

Федор Иванович Шаляпин

Fyodor Shalyapin

Похожее на замок здание «Императорского общества правильной охоты» еще до середины нашего столетия открывало архитектурный облик нижегородского Откоса

The building of the «Imperial society of regular hun- ting» looking like a castle was opening the architectural appearance of the Nizhny Novgorod embankment («Otkos») up to the mid of the 20th century

чувством благоговейного восхищения, — «величие». Эти слова наиболее точно передают впечатления каждого, кто выходит на гребень Откоса, чтобы взглянуть на Волгу. На смотровой площадке, возле Георгиевской башни, откуда торжественно спускается к самой кромке речной воды волжская лестница, всегда много людей. Сюда всегда приходят гости «волжской столицы». Многие, кто стоял на этом месте, потом оставили вдохновенные слова памяти.

Вспомним мысли человека, которого нельзя заподозрить в «местном патриотизме», — француза де Кюстина, автора нашумевшей книги «Россия в 1839 году», где он с едким пристрастием высмеял и Москву, и Северную Пальмиру, и никак уж не мог лукавить. Взойдя на кручи Дятловых гор, он написал: «Местоположение Нижнего Новгорода красивее всего виденного мною в России. Перед вами не низкие холмы, пологими скатами бегущие вдоль реки, но настоящая гора, образующая могучий мыс при слиянии Волги и Оки. На этой-то горе выстроен Нижний Новгород, господствующий над необъятной как море равниной...».

Для нижегородцев нет лучшего отдохновения, чем неторопливо пройтись по Откосу от стен кремля до Казанского съезда, откуда раскрывается вид на излучину Волги, песчаные острова, белокаменный комплекс Печерской обители.

В застройке Откоса многие эпохи и стили оставили свои следы. Тут и речи нет об ансамбле! Но все здания несут свою, особую память...

Откос начинается со здания медицинского института, что занимает угол Верхне-Волжской набережной и площади Минина и Пожарского. Оно построено в 1916 году для конторы пароходного общества «Волга». В нем ярко выражен стиль неоклассицизма. Очень привлекательно смотрится ротонда, организующая угол строения, ионические колонны поддерживают купол... Следующее здание по Откосу — Дом архитекторов. В основе его — надстроенный и соединенный с мединститутом дом первой половины про-

шлого века, в котором осенью 1857 года жил в Нижнем Тарас Григорьевич Шевченко.

Гостиница, что соседствует с Домом архитекторов, построена в 1930-е годы. Она сооружена на месте прекрасного памятника, украшавшего нижегородское взгорье, — Георгиевской церкви. Это одна из самых горьких утрат в архитектурном облике города! Храм, построенный в 1702 году купцом Иваном Пушником (Пушниковым), был образцовым памятником так называемого «нарышкинского» стиля, который памятен по подмосковным усадьбам.

Откос всегда был местом очень престижным, и не случайно здесь находится несколько особняков, точнее дворцов, «именитых людей» старого Нижнего.

Один из них принадлежал городскому голове пароходчику Сироткину. Это здание, решенное в духе неоклассицизма, было сооружено по проекту знаменитых зодчих братьев Весниных. Ныне в нем находится Нижегородский художественный музей. Интерьер здания организует прекрасная парадная лестница, отделанная деревом; залы украшают плафоны, написанные А.А.Весниным.

Здесь располагается один из лучших провинциальных музеев России, имеющий богатейшие фонды русской и западноевропейской живописи и скульптуры. В недавние годы для расширения экспозиции музею передано здание бывшего губернаторского дворца в кремле.

Пройдем еще три десятка шагов, и перед нами встанет дворцовый фасад, украшенный кариатидами, львиными маскаронами, цветочными вазами. Он смотрит на улицу свободными венецианскими стеклами окон, резным дубом дверей… Усадьба одного из богатейших людей Нижнего, С.Рукавишникова, состояла из «дворцового» особняка в три этажа, что выходит «лицом» на Волгу, двухэтажного флигеля и подсобных служб. Архитектором этого здания был П.Бойцов, а скульптурные украшения исполнены М.Микешиным,

Разрушенная после революциии Георгиевская церковь была одним из самых замечательных памятников древней Руси

The St.George Church demolished after the revolution was one of the most distinguished monuments of ancient Russia

Особняк купцов
Рукавишниковых поражает
неподдельной роскошью

The mansion of merchants
Rukavishnikov leaves a lasting
impression with its deliberate
splendour

Режиссер и актер
Н.Н.Собольщиков-Самарин.
С его именем связаны
лучшие годы нижегородского
театра

N.I.Sobolshtchikov-Samarin,
producer and actor. The best
years of the Nizhny Novgorod
drama theatre are closely
connected with his name

знаменитым автором памятника «Тысячелетие России» в Новгороде Великом и памятника Богдану Хмельницкому в Киеве. Строительство рукавишниковской усадьбы было завершено в 1877 году. Это, несомненно, одно из самых примечательных зданий, сохранившихся от старого Нижнего.

Вскоре после рукавишниковской усадьбы, где сейчас располагается Нижегородский историко-архитектурный музей-заповедник, Откос чуть повернув вправо, образует густой зеленый выступ Александровского парка.

Этот сад над рекою — один из самых примечательных памятников «зеленой архитектуры» в Нижнем. Он возник в 1834-1840 годах. В ту пору и был благоустроен Откос, съезды к нижней набережной. Парк был насажен в ландшафтном, английском стиле... Полковник корпуса инженеров путей сообщения П.Д.Готман создал террасы, проложил дорожки, которые сделаны были в «подражание природе», свободно и ненавязчиво, без строгих аллей.

Уже в 1850-е годы, по свидетельству историка города Н.И.Храмцовского, Александровский сад стал излюбленным местом гуляний нижегородцев. «Нижний Новгород не видел до той поры ничего подобного этому гулянию. Кроме бесчисленного множества народа обоего пола, между которыми были жители всех концов империи и торговые гости Востока, сад вмещал в себя несколько оркестров музыки, несколько хоров песенников, русских и цыганских, акробатов, фокусников и, сверх того, в разных местах его подгорные жители обоего пола, в праздничном национальном наряде, играли хороводами... В сумерки сад весь горел тысячами разноцветных огней, освещавших толпы гулявших по его извилистым аллеям...».

Александровский сад по-прежнему любим нижегородцами в любое время

года: и в февральский иней, и в багряную пору листопадов.

От окраины зеленого мыса уже виден Печерский монастырь.

…Старый Откос кончается. Ныне, чуть подальше, за минаретом городской мечети, создана над Печерской слободой новая набережная. У нее свои годы, новая судьба!

А мы еще постоим мгновение: с Откосом, как с добрым, старинным другом, нельзя прощаться обрывисто и резко.

…Вновь вечер. Широкая, золотистая от заката Волга отходит к левобережью, огибая заросшие тальником песчаные косы Печерского острова.

Россия, вечность, неоглядные дали…

И вновь повторяешь слова, рожденные теплою и бунтарской душою земляка нашего протопопа Аввакума: «…а очи сердечнии при реке Волге».

Петр Боборыкин

Из воспоминаний

Перед тем как меня снаряжали в студенты, я прощался с моим родным городом, когда мы вернулись из деревни к августу, к ярмарочному времени. И весной, когда я гулял с сестрой по набережной и нашему «Откосу», и теперь на прощанье я подолгу стаивал на вышке, откуда видно все заволжье, и часть ярмарки, и Печерский монастырь, и слева Егорьевская башня кремля.

Волга и нижегородская историческая старина, сохранившаяся в тамошнем кремле, заложили в душу будущего писателя чувство связи с родиной, ее живописными сторонами, ее тихой и истовой величавостью. Это сделалось само собою, без всяких особых «развиваний».

Ни домашние, ни в гимназии учителя, ни гувернеры никогда не водили нас по древним урочищам Нижнего, его церквам и башням с целью разъяснить нам, укреплять патриотическое или художественное чувство к родной стороне. Это сложилось само собою.

Попадая в наш собор, особенно в его крипту, где лежат останки удельных князей нижегородских, я еще мальчиком читал их имена на могильных плитах, и воображение рисовало какие-то образы. Спрашивалось, бывало, у самого себя: а каков он был видом, вот этот князь, по прозвищу «Брюхатый», или вон тот, прозванный «Тугой лук»?

Имена Минина и Пожарского всегда шевелили в душе что-то особенное. Но на них, к сожалению, был оттенок чего-то официального, «казенного», как мы и тогда уже говорили. Наш учитель рисования и чистописания, по прозванию «Трошка», написал их портреты, висевшие в библиотеке. И Минин у него вышел почти на одно лицо с князем Пожарским.

И староцерковное и гражданское зодчество привлекало: одна из кремлевских церквей, с царской вышкой в виде узкого балкончика, соборная колокольня, «Строгановская» церковь на Нижне-базарной улице, единственный каменный дом конца XYII столетия на Почайне, где останавливался Петр

Великий, все башни и самые стены кремля, его великолепное положение на холмах, как ни у одной старой крепости в Европе. Мы все знали, что строил его итальянский зодчий по имени *Марк Фрязин*. И эта связь с Италией Возрождения, еще не сознаваемая нами, смутно чувствовалась. Понятно было бы и нам, что только тогдашний европеец, земляк Микеланджело, Браманте и других великих «фряжских» зодчих, мог задумать и выполнить такое сооружение.

Башни были все к тому времени обезображены крышами, которыми отсекли старинные украшения. Нам тогда об этом никто не рассказывал. Хорошо и то, что учитель рисования водил тех, кто получше рисует, снимать с натуры кремль и церкви в городе и Печерском монастыре.

Все, что у меня есть в «Василии Теркине» в этом направлении, вынесено еще из детства. Я его делаю уроженцем приволжского села, бывшего княжеского «стола» вроде села Городец, куда я попал уже больше сорока лет спустя, когда задумывал этот роман.

Многие особенности своего и общепсихического и писательского склада я объясняю тем, что родился в *нагорной* местности. Нижний по положению - исключительный город. Он не только стоит так высоко, как ни один *приречный* город в Европе из мне известных, не исключая Парижа, Пешта, Белграда и Гейдельберга, но и весь изрыт балками, ущельями, крутыми подъемами и спусками.

С детства «Гребешок» был для нас, мальчиков, любимейшим пунктом прогулок. Туда сладко было «закатиться», особенно тайком, без гувернерского надзора. Это - вышка над самым ярмарочным мостом, известная всем, кто побывал «у Макария». Теперь все это опошлилось увеселительным заведением и подъем совершается по траму, а тогда это было настоящее восхождение, вроде как на Альпы для детской фантазии. Путь лежал от нас с Покровки по Лыковой дамбе мимо церкви Жен-мироносиц, потом опять кверху мимо церквей Вознесения и Похвалы Богородицы, и, оставляя вправо спуск по Похвалинскому съезду, а слева балки, где стояли деревянные жандармские казармы, вы по переулочкам попадали к тому «взлобью», которое и был «Гребешок», где потом при губернаторе Муравьеве (бывшем декабристе) водрузили довольно-таки безобразную башню.

В нашу кровь и западало что-то горное: любовь к крутизнам и высоким подъемам, к оврагам, густо заросшим лопухом и крапивой, которые наше воображение превращало в целые леса, к отвесным почти «откосам», где карабкались козы - белые и темношерстные: истое нижегородское животное, кормилица мелкого люда. Коз мы любили особенной какой-то любовью, и когда я в Неаполе в 1870 году увидал их в таком количестве, таких умных и прирученных, я испытал точно встречу с чем-то родным.<...>

...Наконец, прошлое родного края, исторические памятники, Волга, ее берега, живительный воздух ее высот и урочищ поддерживали особые настроения, опять-таки в высокой степени *благоприятные* для нарождения будущего писателя.

***

В ту зиму уже началась Крымская война. И в Нижнем к весне собрано было ополчение. Летом я нашел больше толков о войне; общество несколько живее относилось и к местным ополченцам. Дед мой командовал ополчением 1812 года и теперь ездил за город смотреть на ученье и оживлялся в разговорах. Но раньше, зимой, Нижний продолжал играть в карты, давать обеды, плясать, закармливать и запаивать тех офицеров, которые попадали проездом, отправляясь «под Севастополь» и «из-под Севастополя».

События надвигались грозные, но в тогдашнем высшем классе общества было больше любопытства, чем искренней тревоги за свою родину. Самое маленькое меньшинство«...» видело в Крымской кампании приближение краха всей николаевской системы.

Но кругом - в дворянском обществе - еще не раздавалось громко осуждение всего режима. Это явилось позднее, когда после смерти Николая началось освободительное движение, не раньше, однако, 1857-1858 годов.

На зимней вакации, в Нижнем, я бывал на балах и вечерах уже без всякого увлечения ими, больше потому, что выезжал вместе с сестрой. Дядя Василий Васильевич <...> повез меня к В.И.Далю, служившему еще управляющим удельной конторой. О нем много говорили в городе, еще в мои школьные годы, как о чудаке, ушедшем в составление своего толкового словаря русского языка.

Мы его застали за партией шахматов. И он сам - худой старик, странно одетый - и семья его (он уже был женат на второй жене), их манеры, разговоры, весь тон дома не располагали к тому, чтобы чувствовать себя свободно и приятно.

Мне даже странно казалось, что этот угрюмый, сухой старик, наклонившийся над шахматами, был тот самый «Казак Луганский», автор рассказов, которыми мы зачитывались когда-то. Несомненно, однако ж, что этот дом был самый интеллигентный во всем Нижнем. Собиралось к Далю всё, что было посерьезнее и пообразованнее; у него происходили и сеансы медиумического кружка, заведенного им; ходили к нему учителя гимназии. Через одного из них, Л-на, учителя грамматики, он добывал от гимназистов всевозможные поговорки и прибаутки из разночинских сфер. Кто доставлял Л-ну известное число новых присловий и поговорок, тому он ставил пять из грамматики. Так по крайней мере говорили и в городе и в гимназии.

ЛИТЕРАТУРНЫЕ ПЕРЕКРЕСТКИ

На севере Нижегородчины, среди скудных остатков некогда дремучих таежных лесов Приветлужья, лежит озеро Светлояр. Когда глядишь на него в повечерье, то кажется, что упал когда-то в замшелые чащобы огромный серебряный колокол и наполнился его шелом родниковою чистотой.

«...От Светлояра повеяло на меня своеобразным обаянием. В нем была какая-то странная, манящая, почти загадочная красота. Я вспоминал, где я мог видеть нечто подобное раньше? И вспомнил. Такие светленькие озерки, и такие круглые холмики, и такие березки попадаются на старинных иконках нехитрого письма...» — так рассказывал о своем первом впечатлении от встречи со Светлояром Владимир Короленко.

Среди литературных памятников Руси XIII века есть легенда о граде Китеже. Она дошла до нас в старообрядческих обработках — пересказах XVII-XVIII веков. Это «Книга глаголемая летописец», вторую ее часть, отрешенную от исторических событий, составляет сказание «О граде Сокровенном Китеже», который, не желая подчиниться злой воле врагов, ушел в глубокие воды и стал невидимым.

Светлоярская легенда, рожденная на нижегородской земле, оставила неизгладимый след в истории русской литературы и российском искусстве. Отблески китежского сказания живут в строках П.Мельникова-Печерского, М.Горького, А.Майкова, В.Хлебникова, Н.Клюева и М.Волошина. Взор Китежа коснулся страниц книг писателей А.Потехина, С.Максимова. На берегах Светлояра бывали Зинаида Гиппиус и Дмитрий Мережковский. Удивительными словами рассказал о своей встрече с древним ликом лесного озера Михаил Пришвин. Прозрачная поэтичность и мужественный драматизм легенды вдохновили Н.Римского-Корсакова на создание оперы «О невидимом граде Китеже и деве Февронии», С.Василенко написал оперу-кантату на «светлоярский сюжет». Сказание озарило краски на полотнах и театральных эскизах декораций Н.Рериха, М.Нестерова, К.Коровина, А.Васнецова, нашего современника Ильи Глазунова.

Торговый рейд
плотно покрывали корпуса
пароходов и барж

The trade road was tightly
covered with steamers and
barges

Китеж — наш неисчерпаемый духовный кладезь. И с легенды о нем ведет начало нижегородская литература.

«Если когда-нибудь придется вам бывать в Нижнем Новгороде, сходите поклониться Печорскому монастырю. Вы его от души полюбите», — так писал в своей повести «Тарантас» известный прозаик первой половины XIX века, литератор пушкинского круга граф Владимир Соллогуб.

Печерский монастырь, выдающийся памятник русского зодчества XVII века, увековеченный на картине художника А.Саврасова, и поныне — один из красивейших уголков старой части города.

В марте 1377 года в рубленых кельях монастыря иноком Лаврентием «со товарищи» была создана древнейшая из дошедших до нас русских летописей — Лаврентьевская.

Она кончается высоким раздумным слогом: «Радуется купец, прикуп сотворив, и кормчий, в отишье пристав, и странник, в отечество свое пришед; тако радуется и книжный описатель, дошед до конца книгам…»

Заселенная прежде старообрядцами, скрывавшая в глухомани скиты и малые пустыньки, северная окраина нынешней Нижегородской области до сих пор одаривает пытливых исследователей находками рукописных и старопечатных книг.

Ценные коллекции древних книг, в том числе и творения первопечатника Ивана Федорова, хранятся в областной библиотеке. Расширяется год от года собрание древних памятников и в Нижегородском университете.

Любопытно, что краткое время Нижний Новгород был «стольным городом» российского книгоиздания.

После пожара весной 1611 года, когда погиб в огне «государев печатный двор», в Нижний, центр сопротивления интервентам, перебрался из Москвы

печатник Никита Фофанов. Здесь он выпустил, по преданию, несколько книг. Его работа продолжалась до 1613 года.

Особое место в нижегородской истории занимают изустные и письменные памятники о святых — уроженцах Нижнего. В разных списках известны жития Макария Желтоводского, основателя монастырей на Унже и Волге, и Евфимия, создателя обители в Суздале. Выдающееся влияние на русских писателей и философов оказали проповеди и заветы преподобного Серафима Саровского, чей подвижнический подвиг свершался на нижегородской земле.

В последние годы часто тревожили имя донского писателя Ф.Д.Крюкова в связи с легендой о «заимствовании» М.Шолоховым его записок (всю вздорность этого спора доказали найденные черновики великого писателя). Но немногим известно, что талантливый беллетрист Ф.Крюков жил в Нижнем Новгороде, преподавал некоторое время в реальном училище. Ему принадлежит блестящий рассказ о пришествии паломников в Саровскую обитель, с прекрасными описаниями быта странников «со всея Руси» и жизни саровских старцев.

В разное время, в разные годы на высотах Дятловых гор бывали Лев Толстой и А.Островский, А.Радищев и А.Чехов, Г.Успенский… Здесь стояли, глядя в заречную сиреневую тишину, писатели — знатоки глубинной России П.Якушкин, В.Гиляровский, С.Максимов.

На старом Откосе в суровую осень 1941 года у Алексея Николаевича Толстого при виде распахнутого простора вырвались слова: «Человек впитывает здесь в душу свою эту ширь, эту силу земли, эту необъятность, и

Дорога хороша, но под Москвою нет лошадей, я повсюду ждал несколько часов и насилу дотащился до Нижнего сегодня, т.е. в пятые сутки. Успел только съездить в баню, а об городе скажу только тебе (франц. - улицы широкие и хорошо мощеные, дома построены основательно). Еду на ярмарку, которая свои последние штуки показывает, а завтра отправлюсь в Казань.
А.С.Пушкин. Письмо к жене (2 сентября 1833 года, г.Нижний Новгород)

Испокон века смотровая площадка возле Георгиевской башни кремля была любимым местом отдохновения и раздумий, встречей с Волгой и луговым раздольем

From time immemorial the observation site near the George tower of the Kremlin was a most preferable place of rest and meditation, meeting witb the Volga river and medow expanse

прелесть, и волю... Здесь у людей — красивые лица, веселые, смелые, дерзкие глаза и широкие плечи».

С нижегородских круч смотрел на заволжские просторы Александр Сергеевич Пушкин, побывавший в начале сентября 1833 года в Нижнем Новгороде проездом: он тогда стремился в Оренбуржье, где думал собрать материалы для книги о пугачевском восстании.

Восхищались величественной картиной слияния Оки и Волги гости из дальних стран: немецкий поэт XVII века Пауль Флеминг, французский романист Александр Дюма, писатели Теофиль Готье и Льюис Кэрролл, Анри Барбюс и Теодор Драйзер, художник Рокуэлл Кент... Длинен и пестр мог бы быть этот список.

Природная красота местоположения Нижнего известна всему миру! Не случайно летом 1837 года, сопровождая в поездке по России будущего императора Александра II, его воспитатель, выдающийся поэт и переводчик Василий Андреевич Жуковский, сразу оценив живописность здешних берегов, сменил записную книжку на альбом художника и сделал с реки зарисовки Нижнего Новгорода.

Наверное, никто из побывавших в Нижнем не обошел своим вниманием древний кремль, который каменным ожерельем охватывает вершину Часовой горы и спускается ступенями к реке.

Апполон Григорьев в своем стихотворном дневнике «Вверх по Волге» писал:

В Нижнем Новгороде, где Н.М.Карамзин прожил несколько месяцев, продолжалась его работа над «Историей государства Российского»

Вот Нижний под моим окном
В великолепии немом
В своих садах зеленых тонет...

Нижегородский Откос — это воистину вечный «литературный перекресток». Ведь именно на этих приречных кручах в начале своих творческих дорог молодой Алексей Пешков вел светлыми летними ночами беседы с Короленко и Карониным-Петропавловским, жившими в волжском городе...

Пройдем с Откоса на площадь Минина и Пожарского, бывшую Благовещенскую.

В пору Отечественной войны 1812 года, когда армия Кутузова оставила первопрестольную, эта площадь была забита экипажами, дедовскими колымагами и крестьянскими телегами. Город на Волге заполнили беженцы из сожженной Москвы. Сюда прибыли московский университет, архивы, воинские транспорты с ранеными под Бородином, которые сопровождал знаменитый русский врач Матвей Яковлевич Мудров.

Среди приехавших москвичей были и многие известные литераторы: Н.М.Карамзин, поэты К.Н.Батюшков, Ю.А.Нелединский-Мелецкий, В.Л.Пушкин, издатель и публицист, «первый ратник московского ополчения» С.Н.Глинка.

Нижегородское общество радушно приняло столичных знаменитостей. О тогдашних литературных вечерах в Нижнем Батюшков писал в одном из писем, что собравшиеся «во французских платьях, болтая по-французски Бог знает как, проклинали врагов».

Возле древних стен и башен кремля, которые помнили соратников Кузьмы Минина, историк Николай Михайлович Карамзин продолжал работать над главами «Истории государства Российского».

В ту тревожную осень создался как бы кружок московских литераторов, местом собраний которого краеведы традиционно называют дом Аверкиевых — небольшой деревянный особнячок, что и поныне стоит в самом начале Тихоновской улицы (ул.Ульянова), хотя с жизнью Карамзина связывают и дом на Осыпной (ул.Пискунова).

Тоска, тоска! Он в Нижний хочет
В отчизну Минина. Пред ним
Макарьев суетно хлопочет,
Кипит обилием своим.
А.С.Пушкин

В сентябрьский вечер 1790 года разнеслась весть, что в Нижний привезли «страшного политического преступника». Немногие из горожан, имевших доступ в губернаторский дом, где содержался «преступник», могли видеть сидящего на стуле, закованного в ручные кандалы, бородатого, средних лет человека. Это был автор гуманнейшей и благороднейшей книги «Путешествие из Петербурга в Москву» Александр Николаевич Радищев.
Д.Н.Смирнов

Любопытно, что именно в Н.Новгороде осенью 1812 года знаменитый историк и писатель познакомился с сосланным в город на Волге реформатором Михаилом Михайловичем Сперанским.

Василий Львович Пушкин за год до «бонапартова нашествия», в 1811 году, отвез на обучение в Царскосельский лицей своего племянника Сашу, будущего Александра Сергеевича Пушкина.

Здесь же на вечерах и застольях В.Л.Пушкин читал стихи, обращенные к нижегородцам:

> Примите нас под свой покров,
> Питомцы волжских берегов!

Не исключено, что некоторые из стихотворений К.Н.Батюшкова, помеченные 1812 годом, были написаны в Н.Новгороде.

Да, тот памятный год, значительно ожививший литературную жизнь глубинного губернского города, оставил заметный след...

В тревожную пору 1812 года, когда московские литераторы жили в городе на Волге, в уездном Арзамасе, также покинув Москву, находился юный Николай Полевой, будущий издатель «Московского телеграфа», автор «Истории русского народа» и многих повестей, среди которых есть и рассказ о времени Семена Кирдяпы, о великом княжестве Суздальско-Нижегородском, что просуществовало до 1392 года.

...Если говорить о начале изящной словесности в «волжской столице», то нужно отступить еще на полвека от «страды двенадцатого года».

В мае 1767 года молодой механик Иван Кулибин сочинил оду в честь приехавшей в Нижний Новгород императрицы Екатерины II:

> Егда под небом орел летает,
> Любезно к детям всегда взирает,
> С высот взлетевши, крыла простерши,
> Всех покрывает.

Имя великого российского самородка не только вошло в историю механики, различных отраслей науки, но и русской поэзии. В «Опыте исторического словаря о российских писателях», собранного и выпущенного в свет Николаем Новиковым, можно прочесть: «Он сочинил стихами две оды и кант Ея Императорскому Величеству, в проезде чрез Нижний Новго-род, поднесенныя, которые изрядны; а паче в рассуждении его неупражнения в стихотворстве; а напечатаны они в Санктпетербурге в 1769 году».

Стоит заметить, что один из сыновей механика, горный инженер Александр Кулибин, друживший на университетской скамье с поэтом Николаем Языковым, сам писал стихи и был известен в периодике начала XIX века.

В 1793 году в Петербурге вышла книга нижегородца Василия Баранщикова о его «нещастных приключениях в Америке, Азии и Европе».

В 1799 году уже в самом Нижнем свершается премьера в светской литературе: учитель местной гимназии Яков Орлов выпускает книгу своих сочинений в стихах и прозе — «Мое отдохновение для отдыху другим».

В ту пору в городе существует небольшой кружок «пишущей братии». В него входили: Г.Городчанинов, С.Сергиевский, Н.Ильинский, В.Москотильников, выдающийся ученый и богослов — Д.Руднев-Дамаскин и отец П.Чаадаева — Я.Чаадаев.

Но все эти факты отметили лишь преддверие большой литературной судьбы города.

...Подлинным расцветом этой жизни были 1850-е годы. Тогда в Нижнем, в доме 25 по Большой Печерской, несколько лет жил и работал поэт-демократ Михаил Илларионович Михайлов. Именно в эту пору он активно печатался в журналах «Москвитянин», «Библиотека для чтения», в «Литературной газете» и в «Иллюстрации». Михайлов пишет стихи и прозу, работает над драматическими произведениями. Известность ему приносит повесть «Адам Адамович» (1851 г.). На материале судеб актеров нижегородского театра им был написан роман «Перелетные птицы».

На эти же годы приходится нижегородский период в творчестве поэта-сатирика П.В.Шумахера, постоянного автора популярного демократического журнала «Искра». Видимо, через Шумахера состоялось и знакомство нижегородцев с лондонскими изданиями А.Герцена.

В то время Петр Васильевич Шумахер пишет «Сказ про белого царя» — о правлении Николая Первого, «Последний из могикан» — о крепостнике. Он сочиняет смелые экспромты на события в губернском городе. Наверное, к пребыванию в Нижнем относится и его стихотворение 1861 года «Русский турист»:

> Гнилому Западу в угоду
> Его умом хотим мы жить
> И сдуру приняли методу
> Все иностранное хвалить.

В стихах о пореформенной России он выступает как идейный собрат Некрасова и Курочкина.

> — Тятька, эвон что народу
> Собралось у кабака.
> Ждут каку-то все свободу,
> Тятька, кто она така?
> — Цыц! Нишкни! Пущай гуторют,
> Наше дело — сторона.
> Как возьмут тебя испорют,
> Вот узнаешь, кто она...

На рубеже шестидесятых годов строится железная дорога Москва — Нижний Новгород (открыта в 1862 г.). В местном «свете» блистают путейские инженеры. Среди них и М.В.Авдеев. Он был талантливым беллетристом, автором популярного в те годы романа «Тамарин».

В июле 1849 года в город на Волге приезжает на службу и жительство Владимир Иванович Даль. Он работает в удельной конторе, ведающей царскими землями и крестьянами в Нижегородской губернии.

Вместе с домашним скарбом он привез с собою в дом на углу Большой Печерки и Мартыновской материалы для будущего «Толкового словаря».

В.Даль — близкий друг Пушкина, врач и литератор, моряк и ученый. Его квартира на целое десятилетие стала духовным центром Нижнего, куда тянулись местные и приезжие писатели, деятели культуры и науки.

Дом, где жил Даль, сохранился до наших дней (правда, здание надстроено) и на нем открыта мемориальная доска...

Писатель Владимир Даль, долгие годы живший в Нижнем Новгороде. К этому периоду его жизни относятся главные труды по созданию знаменитого словаря

The writer Vladimir Dal lived in Nizhny Novgorod for many years. It was during this period of his life that he took the main efforts to create the famous dictionary

Служба создателя Словаря была в Нижнем не очень обременительной.

Главное, что в этом ярмарочном городе был шумный перекресток всех речений и всех диалектов матушки Руси! Лучшего места для лексикографа, другого такого скрещения языковых дорог в романовской империи не было!

Даль прожил в Нижнем до 1859 года.

Здесь, вспоминая долгую армейскую службу в Средней Азии, в Оренбурге, на Балканах и в Польше, он пишет короткие рассказы — «Солдатские досуги» и «Матросские досуги», где повествует о подвигах русского духа и характера. В городе на Волге Владимир Иванович заканчивает составление сборника «Пословицы русского народа» — тридцать тысяч спелых, плодоносных зерен вечной народной мудрости.

Но главное — близился к завершению его Словарь!

В «Напутном слове», помещенном автором в первом томе, он вспомнит лишь двух людей, чья помощь для него была памятной, «в которых... находил умное и дельное сочувствие к труду: А.Н.Дьяконова, уже покойного, бывшего инспектора корпуса в Оренбурге, и П.И.Мельникова в Нижнем».

В разные годы в квартире Даля побывали писатель Д.Григорович, друг лицейский Пушкина — декабрист Пущин, что посетил Владимира Ивановича, возвращаясь из сибирской ссылки, молодые нижегородские литераторы Петр Боборыкин и Николай Добролюбов, а также вырвавшийся из солдатчины великий сын Украины Тарас Шевченко.

...Погожим днем 20 сентября 1857 года пароход «Князь Пожарский», пришедший из Астрахани, бросил якорь на волжском рейде против Нижнего. «...Взошло солнце и осветило очаровательные окрестности Нижнего Новгорода», — записал в своем «Дневнике» Тарас Григорьевич.

Возвращаясь из оренбургской ссылки, поэт надеялся, не задерживаясь, отправиться далее — в Москву. Но в «волжской столице» его ожидали полицейские предписания: вернуться вновь в Прикаспийский край. Все же старым и новым друзьям Кобзаря удалось, сославшись на слабость его здоровья, добиться для Шевченко разрешения остаться в Н.Новгороде до

«Взошло солнце и осветило очаровательные окрестности Нижнего Новгорода», - записал по приезде из Астрахани в своем «Дневнике» Тарас Шевченко. Его «нижегородское сидение» продолжалось почти полгода...

«The sun rose and lit up the magnificent outskirts of Nizhny Novgorod», wrote Taras Shevtchenko in his «Diary» on arriving here from Astrakhan. His «dwelling in Nizhny Novgorod» lasted almost six months

новых указаний. Губернаторский пост в ту пору занимал бывший декабрист Александр Николаевич Муравьев.

«Нижегородское сидение» Тараса Григорьевича продлилось почти полгода — до марта. Эти месяцы стали временем своеобразного духовного возрождения поэта, возобновления разорванных дружеских уз и приятельских связей. Он обрел новых единомышленников.

Жил Шевченко сначала на волжском Откосе (этот дом не сохранился), затем квартировал на Варварке (здание музыкальной школы).

В Нижнем Шевченко встречался с декабристом Иваном Анненковым, музыковедом и литератором Александром Улыбышевым, писателями Владимиром Далем и Павлом Мельниковым-Печерским, поэтом Петром Шумахером. Великий Кобзарь был свидетелем первых шагов крестьянской реформы на нижегородской земле, которую осуществлял губернатор А.Н.Муравьев, встав против «банды своекорыстных помещиков» (слова Шевченко).

Он сближается с домом Марии Александровны Дороховой, только что приехавшей из Иркутска и ставшей начальницей Нижегородского Мариинского женского института. Примечательно, что она была двоюродной сестрой декабристов Вадковского и Чернышева, а в семье ее воспитывалась дочь Ивана Пущина — Нина. Тарас Григорьевич рисует их портреты. Специально, чтобы обнять старого друга, из Москвы на короткие гастроли приезжает великий артист Щепкин.

Нижегородская старина покорила сердце Шевченко-художника: в кремле, на Благовещенской площади, в Печерах он делает альбомные зарисовки, пишет знакомых нижегородцев.

В поэтическом наследии поэта эти месяцы на Волге связаны с созданием поэмы «Неофиты» и стихотворений «Доля», «Муза» и «Слава».

Он постоянно работает над своим «Дневником» — необычайно интересном повествовании о жизни Нижнего той поры. Писатель заканчивает беловой вариант повести «Матрос», которая потом получит название «Прогулка с удовольствием не без морали».

Нижний - отчий город
великого критика
Н.А.Добролюбова

Nizhny Novgorod is a native city
of N.A.Dobrolyubov, a great
literary crltic

Над Почаинским оврагом
и Лыковой дамбой стоит
усадьба Добролюбовых:
флигель и «доходный дом»,
который связан с именами
А.Н.Серова и музыковеда
А.Д.Улыбышева

Over the Potchaina ravine and
Lykova Damba there is
a farmstead of Dobrolyubovs':
an outbuilding and a profitable
house», which is closely
associated with the names of
A.N.Serov and A.D.Ulybyshev,
a musicologisi

...10 марта 1858 года нижегородские друзья провожают Шевченко до московской заставы: он уезжает в столицу. Дальше его будет ждать Петербург, Академия художеств, литературные журналы, где властвуют над думами Чернышевский и Добролюбов.

...Николай Александрович Добролюбов родился в Нижнем Новгороде 5 февраля 1836 года в семье священника Верхнепосадской Никольской церкви. Добролюбов-отец был весьма заметным человеком в городе, книгочеем, владельцем неплохой библиотеки. Юный Добролюбов сначала получил образование на дому. Потом он поступает в местное духовное училище, через год — в семинарию.

На рубеже 1840-х годов Добролюбовы строят на Лыковой дамбе большой каменный дом с флигелем. Здесь и проходит детство и ранняя юность писателя-демократа. Кстати, в доме Добролюбовых (Лыкова дамба, дом 2) квартировали А.Д.Улыбышев и родственники декабриста князя Сергея Петровича Трубецкого. Так что будущему критику с детских лет сопутствовал мир книг, интересные люди.

В наши дни «добролюбовское гнездо» — литературный музей, посвященный великому русскому мыслителю. Здесь воспроизводится обстановка давних лет. Собрано немало подлинных предметов, принадлежавших семье писателя или его родственникам. Надо сказать, что добролюбовский музей относительно молод, но за годы своего существования стал подлинным центром духовной и культурной жизни Нижнего Новгорода, местом литературных вечеров и художественных выставок.

Экспозиция музея рассказывает о первых литературных шагах юного Добролюбова, ранних опытах в стихах и прозе, знакомит с его дневниками и рукописным журналом «Ахинея», который он выпускал вместе с друзьями в семинарии.

О поразительном упорстве, стремлении постичь глубину знаний поведает гостям музея «Реестр» книг, прочитанных Николаем Добролюбовым, снабженный его комментариями и оригинальными суждениями.

Только за семь месяцев удивительный по своим дарованиям мальчик познакомился более чем с двумя тысячами томов!

В одном из писем он вспоминает: «Глупое зубрение уроков не давалось мне. Гораздо более нравилось мне чтение книг, и вскоре оно сделалось главным занятием и единственным наслаждением и отдыхом от тупых и скучных семинарских занятий».

Он живо интересуется фольклором края, задумывает большую работу «Материалы для описания Нижегородской губернии в отношении историческом, нравственном и умственном».

Добролюбов уедет из родного города в 1853 году, отправясь в Петербург, выбрав вместо Духовной академии Педагогический институт.

Начнется главная дорога его жизни — краткая и блистательная! Всего пять лет, проведенных на литературном поприще, оставят имя Добролюбова навечно в анналах русской культуры. Он уйдет из жизни в 1861 году, не дожив до тридцати шести лет.

В 1986 году, в стопятидесятую годовщину со дня рождения Николая Александровича Добролюбова, в отчем городе, на Театральной площади, выходящей на Большую Покровку, вблизи того места, где еще в первые десятилетия нашего века стояла Верхнепосадская Никольская церковь, где недалече был дом отца, — установлен памятник великому земляку.

Автор монумента — нижегородец, народный художник России Павел Гусев.

Только два писателя земли нижегородской удостоились чести в родном городе предстать перед потомками в бронзе.

Памятник Горькому скульптора Веры Мухиной — несомненно, один из самых удачных монументов, украшающих площади «волжской столицы».

Не только отдельные дома, но и целые кварталы, оставшиеся в наследие

Родимый город!... Как мне все знакомо
На нешироких улицах твоих!

Как много пробуждают эти домы
Воспоминаний, сердцу дорогих!..

Н.А.Добролюбов

Площадь М.Горького

M.Gorky square

Весной 1901 года в доме на Канатной улице Максим Горький написал «Песню о Буревестнике».
В нескольких минутах ходьбы от этого старого дома воздвигнут памятник «Буревестнику революции» работы скульптора В.Мухиной

In spring 1901 in the house in Kanatnaya street Maxim Gorky wrote his «Song about a storm petrel». In several minutes' walk from this old house there is a monument to the «Storm petrel of revolution» made by the sculptor V.Mukhina

от старого Нижнего, живут в наши дни, как своеобразные мемориалы, как живые иллюстрации к творчеству писателя.

На улице Ковалихинской сохраняется двухэтажный дом, принадлежавший некогда деду Алеши Пешкова — В.В.Каширину. Здесь, во флигеле, 15 (28) марта родился будущий знаменитый писатель. Шел 1868 год.

И все же земляки Горького, гости нашего города больше знают «Домик Каширина» на Почтовом съезде, где с 1938 г. открыт мемориальный музей великого волгаря. С юных лет мы помним описание этого дома, оставленное самим писателем в повести «Детство»: «Дошли до конца съезда. На самом верху его, прислонясь к правому откосу и начиная собой улицу, стоял приземистый одноэтажный дом, окрашенный грязно-розовой краской, с нахлобученной низкой крышей и выпученными окнами».

Стены этого дома, дворик, красильня — известны нам по автобиографической повести во всех деталях. Здесь зримо представляешь себе знакомые сцены: буйные ссоры каширинской родни, смерть придавленного тяжелым крестом веселого Цыганка…

Окраинная в нижегородском староградье Канатная улица (ныне улица Короленко), которая в наши дни объявлена заповедной зоной, особо значима в судьбе Алексея Пешкова — Максима Горького.

Теперь она выходит к Пушкинскому саду — парку, насаженному в 1899 году в честь столетия великого поэта руками учащихся и учителей Нижнего Новгорода. По инициативе местного отделения Российского фонда культуры здесь предполагается установить бюст А.С.Пушкина.

А в пору детства Алеши Пешкова Канатная улица, как он вспоминал, была «...немощеная, заросшая травой, чистая и тихая, выходила в поле».

В предполевом уголке улицы прошло несколько ранних лет будущего писателя.

В январе 1883 года, после странствий по Руси, он вновь пришел на Канатную с рукописью поэмы в прозе и стихах «Песнь старого дуба».

«...На панели, перед крыльцом, умело работая лопатой, коренастый человек в меховой шапке странной формы, с наушниками, в коротком, по колени, плохо сшитом тулупчике, в тяжелых вятских валенках. Я полез сквозь сугроб на крыльцо.

— Вам кого?

— Короленко.

— Это я».

Максим Горький через годы будет с благодарностью вспоминать Владимира Галактионовича Короленко, посвятив ему очерки «В.Г.Короленко» и «Время Короленко».

«Около него сплотилась замечательная группа разнообразно недюжинных людей: Н.Ф.Анненский, С.Я.Елпатьевский, врач и беллетрист, обладатель неисчерпаемого сокровища любви к людям, добродушный и веселый Ангел И.Богданович...». Все названные — талантливые литераторы: Н.Ф.Анненский — брат замечательного русского лирика Иннокентия Анненского; А.И.Богданович — отец классика белорусской литературы Максима Богдановича, ранние годы которого прошли в Нижнем Новгороде (на здании Нижегородского педагогического университета имени А.М.Горького установлена мемориальная доска в его честь).

Для Владимира Короленко нижегородский период был одним из самых

«Домик Каширина», описанный в повести М.Горького «Детство». Ныне здесь один из филиалов Литературного музея Нижнего Новгорода

The «Small House of Kashirins», described in M.Gorky's short novel «Childhood». Nowadays, it is one of the chapters of the city Literary Museum

Максим Горький. Более тридцати лет его жизнь была связана с «волжской столицей»

Maxim Gorky. Over thirty years his life was closely linked with the «Volga capital». Types of the Nizhny Novgorod residents, the mode of life in the old Nizhny defined to a great extent themes and protagonists of his books

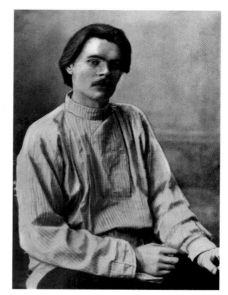

плодотворных. Образы здешних людей, быт и природа края, его история отражены в таких произведениях писателя, как «Река играет», «На затмении», «За иконой», «В облачный день», «В пустынных местах», «Павловские очерки».

Работая в Нижегородской архивной комиссии, Владимир Галактионович оставил глубокий след в изучении края. И спустя годы его волновали такие яркие фигуры, как художник А.В.Ступин, бывший декабрист, нижегородский губернатор А.Н.Муравьев, историк А.С.Гациский...

Встреча молодого Алексея Пешкова с писателем Короленко произошла в доме на Канатной, который сохранился до наших дней.

Судьба распорядилась так, что спустя десятилетие, в 1900-1901 годах, будучи уже широко известным писателем, Максим Горький поселился на той же улице, по соседству от дома, где квартировал Короленко и куда не-

И.А.Бунин

I.A.Bunin

известный нижегородский юноша приносил ему свои первые опыты.

Именно здесь (ул.Короленко, дом 11) в стенах двухэтажного деревянного дома родилась и начала свой полет по всей земле знаменитая «Песня о Буревестнике».

На этой квартире у Алексея Максимовича бывали в гостях Леонид Андреев, Иван Бунин и Николай Гарин-Михайловский. Художник М.В.Нестеров во дворике дома писал портретный этюд нижегородской литературной знаменитости. Ко времени жизни М.Горького на Канатной улице относится его арест, за которым последовали заключение в острог, а затем и ссылка в Арзамас…

В старом волжском городе множество мест, связанных с жизнью писателя.

Только вокруг площади, носящей его имя, площади, где установлен памятник великому земляку, — целое созвездие горьковских мемориальных мест: дом Порхунова (ул.Горького, д.74), где Алеша работал у владельца обувного магазина; дом Гогина (ул.Звездинка, д.11), в котором будущий писатель служил у чертежника; дом Курепина (ул. Горького, д.82), где в 1898-1900 годах он работал над повестями «Фома Гордеев», «Трое», написал рассказы «Двадцать шесть и одна», «О черте» и другие. Здесь у него бывали В.Гиляровский, Н.Телешов. Именно в этот период жизни, связанный с домом на бывшей Полевой улице, писатель обретает всероссийскую известность.

…Когда проходишь по нижегородским улицам, старинные здания напоминают о различных вехах судьбы славного сына волжского города: ночлежный дом Бугрова, чайная «Столбы», тюремный замок, здание Народного дома (ныне театр оперы и балета имени А.С.Пушкина), трехэтажный дом на углу Большой Покровки и Грузинской, где некогда была редакция газеты «Нижегородский листок». На ее страницах печатались многие известные писатели России и литераторы из местного окружения М.Горького.

Огромное количество материалов, связанных с жизнью писателя в родном городе, собрано в Литературном музее Горького (ул. Минина, дом 26), а также музее-квартире на улице Семашко (дом 19).

В следующий раз я встретил его (Н.Е.Каронина-Петропавловского. — Ю.А.) на откосе, около Георгиевской башни. Через минуту мы сидели на скамье, и он говорил оживленно, помахивая шляпою в свое лицо с красными пятнами на щеках.
- Я тут часто бываю по утрам - изумительно красивое место, а вот не умею описывать природу - это несчастье! А странно: из молодых писателей ведь почти никто не пишет природу, да если и пишут, то сухо, неискусно.
М.Горький

Ф.И.Шаляпин

F.I.Shalyapin

Писатель П.И.Мельников-Печерский, романы, повести и рассказы которого открыли миру древний уклад нижегородского старообрядчества, замкнутую жизнь керженских скитов, дивные первоцветья народных сказаний

P.I.Melnikov-Petcherski is an author whose novels and stories revealed to the world the ancient life style of the Nizhny Novgorod old-believers, the secluded life of the Kerzhenets small monasteries, marvellous pearls of folk legends

Из окон этой квартиры, если смотреть через Ковалихинский сквер, прямо напротив видна бывшая каширинская усадьба, где родился писатель.

Ковалихинская, дом 19, называемый по фамилии его владельца домом Киршбаума, — последнее место жительство Алексея Максимовича в Нижнем Новгороде. Время его жизни, связанное с этой квартирой, охватывает период с 1902 по 1904 годы, когда имя писателя уже прочно завоевало мировую известность.

Вся обстановка в доме Киршбаума была бережно сохранена женой писателя Екатериной Павловной Пешковой.

Удивительно в стенах этого дома! Ощущение почти реального пребывания в первых годах XX века. Кажется, и воздух здесь иной, и не умерли голоса, звучавшие в комнатах, стены которых оклеены обоями с рисунком давних времен. Здесь пел Федор Шаляпин, садился за фортепьяно Александр Гольденвейзер, шутили и спорили Леонид Андреев и Леопольд Сулержицкий, толпились, придя за книгами к «Максимовичу», рабочие из Сормова.

Улица Семашко, бывшая Мартыновская, где находилась последняя квартира Горького, — литературная улица. На ее пересечении с Тихоновской (ул. И.Н.Ульянова) сохраняется, измененный перестройками, старый деревянный дом. На его фасаде — мемориальная доска, открытая еще в дореволюционные времена, сообщающая, что в этом доме в 1819 году родился Павел Иванович Мельников-Печерский.

Ныне мы знаем, что в надпись вкралась ошибка. Замечательный русский писатель родился в Н.Новгороде 25 октября (6 ноября) 1818 года.

Многим его современникам торопливо выдавали авансы на вечность и многих провозглашали классиками, — но они полузабыты, их не читают. А вот романы «В лесах» и «На горах», часто в последние годы выходившие огромными тиражами, найти на полках книжных магазинов — почти безнадежное дело.

Исследователи подсчитали, что Мельников-Печерский — один из самых читаемых ныне романистов XIX века.

Правда, его книги были очень популярны и у современников. Так, художник М.Нестеров вспоминал, что в 1880-е годы он и его друзья, И.Левитан и К.Коровин, зачитывались романами нижегородца.

Для нас, людей, живущих на закате двадцатого века, романы Мельникова-Печерского — кладезь чистого великорусского языка, образец стиля и слога. Это неугасшие образы, полные живого тепла. Удивительно, что весь мир тогдашней России воссоздан в художественном пространстве одного края — земли нижегородской. Да и ранняя проза, принесшая известность и признание молодому писателю и сочувственно встреченная прогрессивной критикой, также связана с градами и весями нижегородских пределов: «Старые годы» и «Красильниковы», «Именной пирог» и «Поярков»...

Детские годы Мельников провел в здешних уездных городках: в Лукоянове, что лежит «на горах», и в Семенове, что находится в Заволжье, «в лесах». Павел Иванович учился в нижегородской гимназии, а затем на словесном факультете Казанского университета. Редактируя в течение ряда лет «Нижегородские губернские ведомости», он вел в них неофициальную часть.

Мельников-Печерский был одним из зачинателей научного краеведения. В его наследии можно найти статьи о Кулибине и Аввакуме, Александре Невском и великом княжестве Нижегородском, работы о городах и о деятельности Нижегородской ярмарки.

Сын писателя, Андрей Мельников, художник, выпускник Московского училища живописи, ваяния и зодчества, также оставил заметный след в изучении родного края. И по сей день не потеряли научного интереса его книги «Столетие Нижегородской ярмарки», «Нижегородская старина» и другие.

На склоне лет П.И.Мельников-Печерский, после длительной службы в столицах, вернулся в родной город.

Он любил в последние годы жизни уединяться в своем небольшом имении Ляхово (ныне в черте города). Там писатель заканчивал работу над эпопеей русского быта и русских характеров. Скончался Павел Иванович в феврале 1883 года. Его похоронили на кладбище Крестовоздвиженского монастыря (ныне площадь Лядова).

В 1950-е годы, ввиду ликвидации захоронений, прах писателя был перенесен на старое городское кладбище, где ныне он покоится рядом с прототипами героев романа А.Дюма «Учитель фехтования» декабристом Иваном Анненковым и его супругою Прасковьей Егоровной (Полиной Гебль).

Но чтобы лучше понять мир образов Мельникова-Печерского, надо, как говаривал Гоголь, «поездиться» по нижегородской земле, подышать воздухом, которым дышали герои романов «В лесах» и «На горах». Особенно

Это было давно, с лишком сорок лет тому назад, но я как как сейчас вижу перед собой высокую, худощавую фигуру молодого человека в длинном узком черном пальто и в черной широкополой шляпе. Длинные волосы и опущенные вниз усы. Пристальный и суровый взгляд. Нижегородский говорок, с «оканьем»... Таким я знал Алексея Максимовича Горького. Не раз мне приходилось беседовать с ним, и всегда я был очарован его глубокой мудростью...

Н.И.Собольщиков-Самарин

Крестьяне-старообрядцы, которых воспел на страницах своих книг П.И.Мельников-Печерский

Peasants old-believers whose mode of life was glorified in the books of P.I.Melnikov-Petchersky

интересно побывать на заповедной реке Керженец в заволжских краях. А еще лучше пройти его берегами, его владениями до впадения таежных вод в Волгу. Это почти возле стен славной Макарьевской обители...

На Керженце, у вечернего костра, над ярами с темно-красной закатной водой с удивительным чувством слушаешь тишину. А когда сумерки уронят сизые перья тумана, то покажется в последних огненных отблесках, что оживают давние образы легендарного заволжского края — образы китежской Руси.

Мы идем.
И рука в руке,
и шумит молодая смородина.
Мы на Керженце, на реке,
где моя непопятная родина...

...И на каждой лесной версте,
у любого кержачьего скита
Русь, распятая на кресте,
на старинном,
на медном прибита.

Это стихи замечательного русского поэта Бориса Корнилова.

Он родился на берегах Керженца, этой тихоструйной реки, в селе Покровском, в 1907 году.

Первые строки Бориса Корнилова были напечатаны в губернской газете «Молодая рать». Под ними стояла подпись «Борис Вербин».

Главное в творчестве Корнилова — это его лирика, наполненная плотны-

ми образами эпохи, лирика густого, крепкого настоя, навсегда связанная истоками своими с «Нижегородскою губернией и синью семеновских лесов».

Жизнь Бориса Петровича Корнилова была короткой. Он стал жертвой сталинских репрессий и трагически закончил свой путь в 1938 году.

Ныне в керженской столице — городе Семенове — поставлен памятник поэту-земляку, есть улицы Бориса Корнилова и в Семенове и в Нижнем.

Семеновские краеведы создали местный литературный музей, где представлены материалы о пребывании в керженском крае П.И. Мельникова-Печерского, о жизни замечательного создателя заволжских сказов писателя С.В.Афоньшина. Но все же главная часть экспозиции — это творчество Бориса Корнилова. В музее собраны все издания поэта, иконография, свидетельства друзей, строки стихов, посвященных Корнилову.

Говоря о порубежье XIX-XX веков и о «литературном перекрестке» Нижегородского края, было бы несправедливо выделять фигуры только первого ряда. Огульное забвение — безнравственно!

...2 июля 1885 года великий русский драматург А.Н.Островский писал из Щелыкова своей корреспондентке в Нижнем: «Милостивая государыня Анна Дмитриевна... Вы превосходно пишете стихи, после смерти гр. А.Толстого никто не владеет русским языком, как Вы. Надо этому таланту себя показать. ...Мы с Вами переведем все пьесы Мольера. Вы стихотворные, а я прозаические, и издадим роскошным образом. Это будет драгоценнейший подарок публике...»

Это строки одного из двадцати восьми сохранившихся писем Островского к нижегородской поэтессе А.Д.Мысовской. К сожалению, почти все наследие писательницы рассыпано по периодическим изданиям. Вышла лишь одна книга в 1910 году, задуманная как первый том трехтомника.

Поэтесса Анна Дмитриевна Мысовская (1840-1912) сыграла заметную

Сельское житие в заволжском краю, где пролегла тропа многих русских писателей, которые изучали быт давней Руси

Rural life on the left bank of the Volga river where many Russian authors studied the mode of life of the ancient Russia

...Выезжаю в ворота и открывается город: правильная площадь, на ней две церкви, обнесенные решеткою, гостиницы, гимназия, почтамт и пять улиц. 1-я, с левой стороны, идет на верхнюю набережную, на ней замечательное строение - семинария 93 окон. Выхожу на набережную - и открывается Волга, песок, и низкий берег, на сколько глаз хватит, города, села, озера.

А.Н.Островский

роль в культурной жизни города. В восьмидесятые — девяностые годы ее дом на улице Тихоновской (ныне район универсама «Нижегородский») был своеобразным литературным клубом, который охотно посещали Короленко, Горький, Елпатьевский и другие писатели...

...В феврале 1859 года на заседании Общества любителей российской словесности в присутствии А.Хомякова, С.Шевырева, М.Погодина, К.Аксакова, Л.Толстого и А.Островского было прочитано и отмечено, как «подающее надежды», стихотворение нижегородца Леонида Граве.

Впоследствии его стихи печатались в различных изданиях: от «Отечественных записок» Некрасова и Салтыкова-Щедрина до «Московского листка», издаваемого «винным сидельцем» Пастуховым. Л.Граве прожил трудную, даже драматическую жизнь. Единственная книга его стихов вышла в Москве через год после его кончины, в 1892 году. Но остался и поется по всей России романс «Ночь светла, над рекой тихо светит луна». Эти стихи до сих пор ошибочно приписывают М.Д.Языкову (музыка Я.Ф.Пригожего).

К сожалению, могилы А.Д.Мысовской и Л.Г.Граве в результате ликвидации кладбища Крестовоздвиженского монастыря были утрачены.

В начале века, в 1900-е годы, в Нижнем поселяется писатель и врач В.Я.Кокосов, автор замечательной книги «Записки Карийской каторги».

Тогда же активно работает и публикует многочисленные исследования по истории литературы и краеведению В.Е.Чешихин-Ветринский, под руководством М.Горького начинают свой творческий путь прозаик А.В.Яровицкий, поэты А.А.Белозеров и П.С.Клоков, печатавшиеся в дореволюционной «Правде».

Ряд колоритных произведений написал в Нижнем Иван Касаткин.

Уроженцами города были широко известные литераторы первой четверти XX века Борис Садовской и Иван Рукавишников. В 1901 году на гимназическом вечере ученик Б.Садовской читал свои стихи об Иване Грозном. Максим Горький, который был среди гостей вечера, пожелал познакомиться с молодым поэтом. Сам Садовской рассказывал об этом: «Не помню, кто повел к нему, чуть ли не общий наш земляк И.С.Рукавишников, розовый юноша с американской бородкой, позже известный поэт».

Горький написал вскоре молодому автору письмо, где отмечал: «Ваше стихотворение испорчено примесью литературной тенденции. Но природный талант у Вас есть и Вам следует теперь его развивать, запасаться опытом и знаниями. Не обижайтесь! А.Пешков».

Борис Садовской стал весьма заметной фигурой в поэтической жизни «серебряного» века. Он также известен как переводчик и литературовед, пушкинист. У поэтов начала нашего столетия, в том числе у Александра Блока, есть стихи, посвященные Борису Садовскому.

К сожалению, у этих двух нижегородцев, Б.Садовского и И.Рукавишникова, литературная судьба сложилась драматично.

И доселе ждут переиздания стихи Ивана Рукавишникова и его знаменитый в свое время роман «Проклятый род», который был написан по воспоминаниям автора о своей купеческой семье.

Исторические рассказы и литературоведческие эссе Бориса Садовского были переизданы в 1990 году в сборнике «Лебединые клики». Многое из опубликованного в этой книге написано в Нижнем и на даче в Щербинках. Часть произведений («Наталья Пушкина и почтмейстер») созданы на основе местных былей и преданий...

В Нижнем Новгороде прошли гимназические годы философа и литерато-

ра В.В.Розанова, здесь учился драматург и прозаик С.А.Ауслендер. Питомцами нижегородского Дворянского института были известный пушкинист Мстислав Цявловский и поэт и прозаик Анатолий Мариенгоф; с реальным училищем Нижнего связана судьба Бориса Пильняка, оставившего воспоминания о городе и рассказ «Нижегородский Откос».

В «есенинском окружении», кроме Мариенгофа, было еще несколько нижегородцев: Г.Устинов, Н.Власов-Окский, Г.Шмерельсон и уже упоминавшийся И.Рукавишников. Бывал в Н.Новгороде и духовный собрат С.Есенина Николай Клюев. Он выступал в предреволюционные годы в залах Нижнего вместе со знаменитой певицей Н.Плевицкой, которую, к слову, «открыл» Леонид Собинов на нижегородской ярмарке, в каком-то ресторанчике.

Но вернемся к рубежу XX века. В 1896 году Н.Новгород в дни знаменитой Всероссийской промышленной и художественной выставки, посетил юный Александр Блок. Он бродил по нижегородскому кремлю, по Откосу в сопровождении шестилетней девочки, дочки приятелей его родственников, которую потом узнает русская поэзия как Елизавету Кузьмину-Караваеву. Впрочем, и творческая судьба Блока, пусть косвенно, однажды оказалась связана с Нижним. Первая книга поэта, «Стихи о прекрасной даме», цензуровалась, в исключение из общего правила, не в Москве, а в Нижнем Новгороде. Друзья Блока боялись, что московские цензоры кое-что могут вычеркнуть в книге. А в Нижнем Новгороде служил в то время цензором Э.К.Метнер, друг Андрея Белого и Сергея Соловьева, будущий владелец издательства «Мусагет».

Примерно в то же время Андрей Белый гостил в Нижнем у Метнера, о чем он живо рассказывает в своих мемуарах «Начало века». Писатель вспоминает прогулки по Откосу «с каждодневным тасканьем к Мельникову (Андрею Павловичу, сыну знаменитого романиста. — Ю.А.), нам рассказывавшему о жизни сектантов, которую знал по данным Мельникова-Печерского».

Говоря о писателях первой трети нашего века, хочется вспомнить нижегородца, впоследствии активного члена группы «Перевал» Николая Зарудина. Он учился в гимназии вместе с А.Н.Формозовым, спутником его в охотничьих странствиях по Заволжью.

Зарудин обладал орнаментальным, живописным стилем, был автором романа «Тридцать ночей на винограднике» и многих рассказов, где угадываются нижегородские приметы. В одном из них, «Древность», есть потрясающее описание ночного зимнего Откоса и темных бесконечных далей Заволжья, где «человек один на один с тишиною слышит, как в Канаде поют петухи…»

Путь Зарудина трагически оборвался в тридцатые годы, в пору репрессий.

До последнего времени почти не упоминались имена двух очень любопытных и известных в прошлом литераторов, которые в той или иной степени связаны были с нашим краем.

В дореволюционные годы широкую популярность имели «Сказки Кота Мурлыки» Николая Петровича Вагнера, происходившего из дворян Нижегородской губернии. «Кот Мурлыка» имел множество переизданий. Но, наверное, немногие знали, что автор любимого свода сказок — зоолог, член-корреспондент Петербургской Академии наук. В родном Нижнем Н.П.Вагнер жил лишь короткий срок, около двух лет, до 1851 года, когда был преподавателем здешнего Дворянского института. Его литературное и научное

Нежный Нижний! —
Волгам нужный, Каме и Оке.
Нежный Нижний
Виден вдалеке
Волгам и волку. —
Ты не выдуман,
И не книжный
Своим видом он.
Велимир Хлебников

наследие очень велико, но все же имя Вагнера и поныне чаще всего всплывает в связи с книгой о Коте Мурлыке, впервые изданной в 1872 году.

Совсем недавно, как бы из забытья, вновь пришла к читателю книга Евгения Иванова «Меткое московское слово» — собрание заметок о русском быте, речений торговцев и людей других профессий. Евгений Иванов родился в Н.Новгороде в 1884 году и по матери был родственником Н.П. Сусловой (первой русской женщины-врача) и ее сестры А.П.Сусловой, чья судьба связана с именами Ф.И.Достоевского и нашего земляка философа В.В.Розанова.

Первая книга, содержащая три рассказа, вышла у Евгения Иванова в родном Нижнем в 1905 году. В Москву писатель переехал в 1910-м. Он не скрывает, что весьма значительная часть материалов, вошедших в «Меткое московское слово», была найдена и собрана еще в ярмарочном Нижнем, в Заволжье, в окрестных селах возле губернского города. Так, он называет Великий Враг — известное дачное место на Волге.

Нижегородские писатели начала века, пытаясь худо-бедно наладить свои дела, дать выход к читателю молодым авторам, в самый разгар мировой войны, в 1916 году, выпустили «Нижегородский альманах», где стоит гриф: «Издание т-ва нижегородских литераторов». В нем были помещены стихи из наследия Л.Граве и проза В.Кокосова, произведения А.Белозерова, С.Тихого (П.Клокова), рассказы И.Касаткина, статьи В.Чешихина-Ветринского и лирика «рюриковича» князя А.Звенигородского…

Свершился Октябрьский переворот.

Революция пройдет и по нижегородским улицам.

В сборнике «Лебединый стан» Марина Цветаева напечатает стихи, посвященные памяти юнкеров, убитых в Нижнем Новгороде.

> Смолкли трубы.
> Доброй ночи —
> Вам, разорванные в клочья, —
> На посту!

В годы гражданской войны картина творческой жизни края становится очень пестрой.

Выходят стихи рабочего Н.Петрова. Сергей Малашкин издает небольшой сборник «Мускулы». В будущем он станет известным романистом, автором нашумевшей повести «Луна с правой стороны…», о событиях в дни революции в Нижнем он напишет на склоне лет своей очень долгой жизни (он прожил сто лет!) в романе «Город на холмах».

Стремительно, но сгорая на первых номерах, выходят журналы «Факел», «Зори»… На суд читателей предстают альманахи «Без муз», «Волжская вольница» и другие.

Любопытно, что в них мелькают имена «столичных гостей»: Н.Асеева, С.Третьякова, С.Городецкого, Р.Ивнева, В.Шершеневича и В.Хлебникова. Матрос, военный летчик, чекист, поэт, а затем известный советский художник нижегородец Федор Богородский издает книгу стихов с лихим названием «Даешь», которую благословил своим напутствием футурист Василий Каменский.

Богородский тяготел к футуристам, был в дружеских отношениях с выдающимся поэтом XX века Велимиром Хлебниковым.

В своих «Воспоминаниях художника» Богородский пишет: «В это лето ко

мне приехал погостить В.Хлебников (шел июнь 1918 года. — *Ю.А.*). Он был совершенно измождён путешествиями, как всегда неряшливо одет, но бодро настроен. В первую же ночь Хлебников поразил меня своей неприспособленностью к быту. Он бросился спать, не раздеваясь, в своих огромных солдатских ботинках в чистую постель и поспешил накрыться одеялом... Пришлось стаскивать его с постели, уговаривать умыться и раздеться, что он выполнил с удовольствием. Конечно, мы не спали до утра, читая стихи...

Хлебников жил у меня с месяц. Он много писал и, видимо, был в самом творческом настроении. Уезжая, Хлебников оставил у меня много своих рукописей, которые впоследствии вошли в полное собрание сочинений В.Хлебникова».

Примечательно, что Хлебников жил у Ф.Богородского в том же доме на Тихоновской улице, где бывали прежде знаменитые «литературные пятницы» на квартире у поэтессы А.Д.Мысовской. Ныне этот дом снесен...

...В 1918 году открывается Нижегородский университет. Год спустя в нем начнет преподавать молодой ученый А.Ф.Лосев — выдающийся мыслитель и литературовед, последний из великой плеяды русских философов «серебряного века».

Через десять лет в Нижнем окажется в ссылке еще один знаменитый философ, ученый, литератор — отец Павел Флоренский.

В двадцатые годы нижегородцы, как и жители других городов России, с любопытством встречали Владимира Маяковского, который оставил строки о Нижнем и об Арзамасе, куда проехал из губернского города.

...В марте 1926 года при комсомольской газете «Молодая рать» группой начинающих литераторов был создан кружок, который в том же году выпускает сборничек стихов, прозы и критики — «Начало». Среди авторов альманаха — Борис Рюриков, Николай Кочин, Константин Поздняев, Борис Пильник.

Именно из этого кружка в 1934 году выросла Нижегородская организация Союза писателей России.

В разные годы с ней были связаны имена лауреатов Государственной премии СССР Галины Николаевой и Валентина Костылева, лауреатов Государственной премии РСФСР Николая Кочина и Семена Шуртакова, прекрасных русских поэтов Александра Люкина, Михаила Шестерикова, Федора Сухова, Николая Глазкова.

Константин Станюкович

«Нижегородские впечатления»

Хотя кондуктор и объявил, что поезд пришел в Нижний, но вы сделаете большую оплошность, если, поверив ему на слово, вообразите, по выходе из вагона, что в самом деле находитесь в Нижнем. До Нижнего еще далеконько. Предстоит свершить целое путешествие: сперва доехать до реки, переправиться на пароходе, снова сесть на извозчика, подняться версты две в гору, и только тогда вы будете в Нижнем. Можно, впрочем, и избежать последней пытки, т.е. не подниматься по скверной дороге в город, а приютиться до отхода парохода в одной из гостиниц, расположенных внизу, под горой. Вы не увидите, правда, города, зато пароходные «конторки» рукой подать, и, вдобавок, из окон гостиницы можете любоваться действительно красивым видом широкой, разлившейся реки - этой «поилицы и кормилицы» биржевых тузов, коммерсантов, пароходчиков, грузовщиков, промышленников, комиссионеров - словом, кого хотите, за исключением лишь тех, кто дал ей такое ласковое прозвище в те давно прошедшие времена, когда еще река действительно поила и кормила бежавший на Волгу народ.

Все эти путевые мытарства, особенно неудобные, если путешественник не догадается оставить тяжелый багаж на станции с тем, чтобы поручить прием его пароходу, на котором придется следовать далее, обязательны по случаю половодья. Река не вошла еще в свои берега, и наплавной мост не наведен. Нижний, щеголяющий миллионными оборотами своей ярмарки, до сих пор обходится без постоянного моста, хотя и давно говорят о нем, имея на совести немало несчастий с людьми во время переправ в бурную погоду, при ледоходе весной и в заморозки.

Разумеется, не эта причина заставляет представителей ярмарочного купечества мечтать о постоянном мосте, а другая, более могущественная и более им понятная - интересы торговли. Подозревать их в альтруистических заботах было бы просто несправедливо. Жизнь людская и вообще-то не особенно ценится в нашем отечестве, и здесь, на Волге, можно наглядно убедиться в этом, пройдясь по пристаням и наслушавшись общеизвестных, давно набивших оскомину рассказов о том, в какой грубой форме эксплуатируется ближний и, что еще ужаснее, не всегда понимающий (редко, по крайней мере), как он жалок и беспомощен, и почему именно беспомощен, несмотря на свои классические добродетели: нечеловеческую выносливость и терпение, граничащее подчас с покорностью животного...<...>

У крутого, грязного спуска к парому - знакомая, родная картинка: телеги, возы, люди и лошади смешались в живописном беспорядке, напоминающем отчасти беспорядок военного обоза во время паники, при преследовании неприятеля, и на этом небольшом пространстве, где несет отчаянною вонью не то от бочек с соленою рыбой, не то от сваленного тут же навоза, сосредоточивается главным образом тот стон ругани, который характеризует оживление бойких русских мест. Ругают друг друга и по-русски и по-татарски, ругают лошадей, ругают для красного словца и среди этой ругани занимают места на пароме. Вдруг движение остановилось. Взрыв приветствий по адресу родственников раздался со всех сторон. В чем дело? Оказалось, что упавший набок воз загородил дорогу.

Пока собираются поднять воз и, призывая всуе память родителей, рассуждают о причинах его падения, из ближнего кабака выбегает на место происшествия худенький, маленький, невзрачный блюститель благочиния в затрапезной униформе и с каким-то приливом злости, напоминающим освиревшую собачонку, набрасывается на возчика и начинает его бить среди равнодушных зрителей этого обычного дарового спектакля, неизменно дающегося на всем протяжении русского царства. Высокий, здоровенный, скуластый татарин, который одним мановением своей геркулесовской руки мог бы отогнать тщедушного бутаря, как докучливую муху, принимает порцию ударов с наскока и град брани, словно заслуженную им дань, без малейшего протеста и своею покорностью, казалось, только увеличивает прилив распорядительной злости маленького администратора. Ему, очевидно, хочется нанести более чувствительный удар, и он прицеливается, чтобы, по возможности, повредить обывательскую физиономию и пролить кровь, но в это время раздается, в свою очередь, непечатная брань по его адресу со стороны какого-то подъехавшего господина в фуражке с кокардой, и сцена прекращается. Маленький полисмен начинает водворять порядок, то есть бесцельно суетиться около воза, но, сообразив, вероятно, что пользы от его присутствия нет никакой, исчезает в питейном доме с тою же внезапностью, с какой и появился. Атлет-татарин сконфуженно поднял свалившуюся наземь вислоухую свою шапку и, прежде чем двинуть воз, хлещет по морде свою лошадь при ироническом смехе толпы. Наконец движение возобновилось. Паром быстро заполняется телегами, возами и экипажами.

- Всегда у вас так? - спрашиваю я извозчика.

- Еще хуже бывает! - отвечает возница и не без важности прибавляет: - Провинция! Ну и народ тоже… особенно татарва.

Раздается свисток с парохода. Ругань сосредоточивается теперь на пароме. У парохода редеет толпа. Другой свисток, третий. Пароход отваливает и, прибавив ходу, с тихим шумом колес пересекает реку.

- Каков городок?! Какова Волга - красавица? - раздается на мостике, в группе пассажиров, восторженный возглас дамского ватерпруфа.

И действительно, расположенный на горе, среди куп молодой яркой зелени, сверкающий на солнце золотистыми маковками своих церквей, Нижний с реки живописен и кажется чистым, красивым городком, обещая издали, по обыкновению отечественных мест, несравненно более того, что дает в действительности.

И хваленая наша Волга, хотя и не красавица, а недурна, особенно теперь, в разливе. Зато она разочарует ожидавшего увидеть бойкую реку, оживленную движением, со снующими пароходами, с массой караванов барок. Ничего этого нет. Река почти пуста и

не производит впечатления бойкого речного тракта. Чтобы видеть жизнь на реке в полном проявлении, надо, говорят, быть здесь во время ярмарки или спуститься к Астрахани. Во время ярмарки быть в Нижнем мне не доводилось, но в Астрахани я бывал. Оживление там порядочное, судов много, но это оживление покажется ничтожным тому, кто видал жизнь на бойких европейских реках. Я уже не говорю про Темзу, эту царицу рек по торговому движению, где на пространстве между Гревзендом и Лондоном пароход все время идет между двумя рядами тесно стоящих судов всевозможных форм и конструкций, среди движущихся на буксирах громадных кораблей и маленьких пароходов, снующих, как бешеные, по всем направлениям, и наконец вступает в непроходимый, как кажется, лес мачт среди внушительного гула напряженной жизни великого города торговли. И это непрерывающееся движение, и этот ряд кораблей без конца подавляют вас: чувствуя, с каким колоссальным размахом идет здесь жизнь, вы испытываете какой-то страх за личность человека, поражаясь в то же время величием его коллективного труда, и если, глядя на эту картину торговой напряженности, на эти чудовищные доки, ряд пристаней со всевозможными приспособлениями, на эти массы плывущих товаров, вспомнить вдруг о наших бойких местах, то они покажутся вам жалкою пародией, какою-то пустынною Сахарой по сравнению с тем, что вы видите.

Наш пароход пристает к пристани, вернее, к полуразвалившейся барке, обращенной в пристань. Опять такой же узкий и грязный подъем, снова те же сцены толкотни и беспорядка, тот же стон ругани, - словом, все то, что вы только что видели на том берегу, с прибавлением партии нищих, поджидавших сердобольных людей.

Коммерческая гостиница близехонько, тут же на берегу. Отправляемся туда. Грязная лестница с претензиями на щеголеватость, спертый воздух в коридоре и тот же классический коридорный, с грязною салфеткой в руках, который встречал и Павла Ивановича Чичикова. Зато комнаты получше и почище, есть электрические звонки, но воздух в номерах, надо полагать, не особенно изменился с тех пор. Скорее окна настежь. Струи свежего воздуха врываются в комнаты. Из окон чудный вид на Волгу.

ГУБЕРНАТОРЫ

етровская эпоха. 1714 год. Блистательная победа русского флота над шведским у Гангута. На берегах Оки и Волги под Нижним Новгородом бойко стучат плотницкие топоры — спешно строятся новые суда, беспрерывно работают нижегородские канатно-прядильные заводы, поставляющие снасти победоносному отечественному флоту.

Такими событиями был примечателен год, когда образовалась Нижегородская губерния, а Нижний Новгород стал губернским центром. Реформа произошла зимой, 26 января появился изданный Сенатом следующий указ:

«1714 года, генваря в 26 день. Великий Государь Царь и великий князь Петр Алексеевич вся великия и малыя и белыя России самодержец указал: Нижегороцкой губернии быть особо. В ней городы: Нижней, Алатырь, Балахна, Муром, Арзамас, Гороховец, Юрьев Поволской, Курмыш, Василь, Ядрин. Губернатору быть Андрею Петрову сыну Измайлову, и о том к нему Андрею, а для ведома Казанскому губернатору, послать Великого Государя указы. А что в той Нижегороцкой губернии порознь по городом дворового числа, и окладных, и неокладных, табельных и сверх табеля других прибылых доходов, о том в канцелярию Сената прислать известие.

Князь Яков Долгорукой, граф Иван Мусин-Пушкин, Тихон Стрешнев, Михайла Самарин».

Первым нижегородским губернатором краеведы обычно называют Юрия Алексеевича Ржевского, хотя фактически он был третьим. Но названный в сенатском указе Андрей Петрович Измайлов, видимо, ничем себя проявить не успел, кроме невразумительного распоряжения сжечь наплавной мост через Оку, ибо умер в мае 1714 года, а сменивший его Степан Иванович Путятин (1714-1717) преуспел лишь в ликвидации последствий большого пожара, случившегося в Нижнем в 1715 году, да наборе людей на строительство новой северной столицы России на Неве.

Как после долгой тяжелой спячки, по-медвежьи неспешно просыпалась российская глухомань. В Нижнем, как и во всяком глубинном городе, не

Памятник Александру II
украшал Благовещенскую
площадь

The monument to Alexandr II
was adorning the
Blagoveshtchenie Square

торопились с нововведениями. Петр посылал в глушь самых ретивых своих помощников. Таким был и лихой капитан Преображенского полка Юрий Ржевский.

Подобно царю крут на расправу оказался новый губернатор. Действуя заодно с епископом Питиримом, он быстро смирил сопротивлявшихся новшествам старообрядцев. Драл он с них нещадно и кабальную пошлину за ношение бороды. Исправно выполняя царскую волю, не мог, однако, Ржевский избежать распространенного в те времена искушения — мздоимства, за что был наказан конфискацией имущества. Но Петр оставил его на службе. Не так уж много у него было преданных расторопных людей, да и замыслил царь наладить в Нижнем корабельное строительство, а губернатор знал в этом толк, ибо в молодости обучался морскому делу в Венеции. Перед Персидским походом в Нижнем была заложена верфь.

26 мая 1722 года прибывшего из Москвы по Оке Петра с царицей Екатериной, которых на специально приспособленных судах сопровождала большая свита, торжественно принимали Юрий Ржевский, митрополит Питирим и бургомистр Яков Пушников. Это было второе посещение Петром Нижнего — первый раз он побывал тут летом 1695 года, во время похода на Азов. И тогда, и спустя много лет царь был настроен по-деловому. Даже в день своего рождения, 30 мая, когда ему исполнилось пятьдесят, Петр не забывал о работе, о чем свидетельствуют датированные этим числом важные указы, в частности, указ о строении водоходных судов: «...чтоб всякого чина людям делать новоманерные суда не только волею, но и неволею, а староманерных судов никаких не делать, и за оное ослушание ослушников штра-

фовать сперва деньгами, а другой раз и наказанием». Естественно, главным ответчиком за исполнение обнародованных указов в Нижнем был губернатор Ржевский.

Из уст царя слышал Ржевский знаменитые слова, произнесенные после литургии в Спасо-Преображенском соборе над гробницей Минина: «На сем месте погребен освободитель и избавитель России. Что можно больше сего придать к славе его?»

Еще годы и годы ревностно трудился петровский сподвижник на губернаторском поприще (1719-1729), не оставляя заботы о корабельном деле. И хоть были за ним злоупотребления, он все же проявил себя незаурядным деятелем, кого по праву можно поставить в ряд тех преобразователей, что были порождены суровым и даже жестоким, но оставшимся в истории многими благими делами временем.

Вслед за Ржевским губернаторское место в Нижнем Новгороде занял граф Петр Михайлович Бестужев-Рюмин. Он был выдающейся личностью петровской поры, искусным дипломатом, горячим патриотом России. Его высоко ценили Екатерина I и герцогиня Курляндская Анна Иоанновна. Вступив на престол, Екатерина пожаловала Бестужева-Рюмина чином тайного советника. На Анну Иоанновну же он влиял как никто. Но вошедший в силу Бирон оттеснил его от герцогини. Придворные интриганы затеяли с Бестужевым-Рюминым тяжбу. Назначение неугодного умника губернатором в Нижний Новгород было, по сути дела, ссылкой (1729-1731). Ставшая императрицей, Анна сослала его еще дальше, в деревенскую глушь. Только при Елизавете он дожил спокойно и свободно свой век, скончавшись в уже весьма преклонных годах.

Нижегородскими губернаторами были Иван Михайлович Волынский (1731-1740), князь Семен Гагарин (1740-1742), князь Дмитрий Андреевич Друцкой (1742-1752), Александр Иванович Панин (1753-1756), Максим Иванович Бакшеев, Сергей Иванович Измайлов (1762-1764).

При Якове Степановиче Аршеневском, который состоял в губернаторах

Пятиглавый монументальный Спасо-Преображенский собор возвышался на Кремлевском холме

The five-cupola monumental Blagoveshtchenie Cathedral dominated the Kremlin hill

Площадь Минина
и Пожарского

The Minin and Pozharsky
Square

с 1764 года, Нижний Новгород посетила Екатерина II, совершая путешествие по Волге. Торжественно встречали ее нижегородцы 20 мая 1767 года. Она пробыла в нашем городе трое суток. Именно тогда, стараясь показать, как он заботится о народных талантах, Аршеневский представил императрице посадского мещанина Ивана Петровича Кулибина с его уникальными самоделками и сочиненной в честь высочайшей гостьи одой. Кажется, только это по-настоящему порадовало Екатерину в Нижнем. Покинув город, она с досадою писала графу Панину: «Сей город ситуациею прекрасен, но строением мерзок, все либо на боку лежит, либо близко того».

После Андрея Никитича Квашнина-Самарина (1771-1773) нижегородским губернатором стал генерал-поручик Алексей Алексеевич Ступишин. Ему выпала нелегкая доля.

Знойным июльским полднем 1774 года вместе с офицерами гарнизона он совершал обход нижегородского кремля. Всего лишь год назад Ступишин командовал главными силами в армии прославленного генерал-фельдмаршала Петра Александровича Румянцева-Задунайского, что до сей поры воевала с турками. А теперь он готовился воевать здесь, в глубине России, с мятежной чернью. Прискакавший минувшей ночью курьер доставил весть о движении бунтовщика Пугачева от Казани к Нижнему.

В нижегородском гарнизоне было всего-навсего четыре сотни солдат — батальон и штатная рота. С такими силами губернию не оборонить. Да и ненадежен был гарнизон: солдаты не нюхали пороху, никудышно знали

артикул, худо владели оружием, которого, впрочем, недоставало. Имевший у Румянцева под своим началом целый корпус отменных воинов, Ступишин теперь не мог ума приложить, как в случае крайней опасности обойтись без надежной поддержки. Разослав депеши в Петербург и Москву с описанием своего бедственного положения и просьбой о помощи, осмотрительный губернатор не замедлил предпринять срочные меры по защите Нижнего.

Сумев за короткий срок сделать все возможное для укрепления города, Ступишин не дал осуществиться стратегическим планам Пугачева, до которого дошли сведения о намерении нижегородского губернатора поставить крепкий заслон на пути мятежников к Москве. Не искушая судьбу, Пугачев свернул от Волги к югу, пройдя только краем Нижегородской губернии.

Решительному Ступишину все же пришлось столкнуться с пугачевцами, которые подняли мятежи в сотнях селений. Он действует нещадно, узнавая о многочисленных злодеяниях бунтовщиков. Это с его плавучей виселицей чуть не столкнулась лодка с героем повести «Капитанская дочка» Пушкина, переправлявшимся через Волгу. Императрица одобрила поступки Ступишина, написав ему: «Господин Нижегородский Губернатор! Вчерашнее число получила я ваш пакет, из которого усмотрела разные злодейские похождения в вашей губернии. Строгость, которую вы нашлись вынужденным производить в нынешнем несчастном случае, опорочить никак не могу».

А в самом деле, оправдана ли была «строгость» губернатора? Факты свидетельствуют: расправы пугачевцев над чиновниками, дворянами, духовенством и всеми теми, кто противился бунту, были необыкновенно жестокими и многочисленными. Только в одном селе Медяны повстанцы казнили 50 человек, а в Алатырском уезде было умерщвлено ими чуть ли не три сотни жителей. Можно понять, почему возмущенный таким кровавым разгулом губернатор немедленно ответил на него репрессивными мерами. И еще долго после подавления мятежа приходилось Ступишину бороться с навод-

По данным 1790 года, в доме нижегородского вице-губернатора Елагина было 8 покоев «господских» и 3 «людских». У экономического директора (главный управитель над государственными крестьянами) Прокудина в доме числилось 12 барских покоев и 3 людских.

У советника Уголовной палаты Пеля - 10 барских покоев и 5 для людей...

Средние нижегородские чиновники, купцы и священнослужители владели домиками в два-три покоя с боковыми чуланами для прислуги. Остальное городское население - мещане, торговцы, ремесленники, канцеляристы - проживали в избах обычного сельского типа.

Д.Н.Смирнов

нившими край шайками разбойников, которые никак не могли уняться.

В конце 1779 года было учреждено Нижегородское наместничество и Ступишин был назначен наместником. Екатерина считала его твердой своей опорой: он никогда не терял здравомыслия, нес обязанности с радением.

Сменивший на посту наместника престарелого Ступишина Иван Савинович Белавин, к сожалению, не обладал административными способностями. Он, как и предшественник, тоже участвовал в русско-турецкой войне, за беспримерную храбрость был награжден орденом св.Георгия, дослужился до чина генерал-майора, однако тяжелое ранение вынудило его расстаться с мыслью о дальнейшей военной карьере. Ценя доблесть славного воина, Екатерина нашла ему соответствующую заслугам должность.

Видимо, Белавин расценил эту царскую милость как награду. Нижний Новгород при нем приходил в упадок: все тут ветшало на глазах, валилось и обрушивалось. Жалкое зрелище являл собой кремль. Его кое-как принялись восстанавливать, но дело не довели до конца. Все, что касалось службы, было у Белавина запущено и запутано. Тем не менее он занимал свой высокий пост многие годы, пока взошедший на престол Павел I не отменил наместничества, снова восстановив деление России на губернии, и не прогнал со службы любимцев своей матери.

После недолгого губернаторства Андрея Лаврентьевича Львова в Нижний прибыл, переведенный из Тамбова, Егор Федорович Кудрявцев. В отличие от Белавина, он полностью посвящал себя службе, разъезжая по губернии, хлопоча о строительстве присутственных мест в уездных городах, реорганизуя губернскую полицию, наводя порядок в казенной палате. Это был неутомимый, прилежный труженик, который, как он сам писал в одной из бумаг, «только честью и чистой совестью руководствовался». Поэтому и не

мог он нажить богатых хором. Прослужив на губернаторском месте доста-точный срок (1798-1802), тайный советник Кудрявцев вынужден был хлопотать о пенсионе. Никаких других средств у него не оказалось.

Вскоре после прибытия в Нижний Новгород нового губернатора Андрея Максимовича Руновского его коляску остановили на улице двое крестьян из Арзамасского уезда.

— Батюшка! — поклонившись, обратились они к нему.— Рассуди по правде. У нас помещик, отставной поручик Авдеев до смерти замучил дворовую девку. Да, видишь ли, уездный пристав взял под защиту душегуба, говоря всюду, что девка умерла своей смертью от болезни. Не дай, батюшка, учиниться новому злу…

Руновский сразу же отправил в уезд чиновника особых поручений, чтобы тот досконально разобрался в деле. После расследования Авдеев был признан виновным в умышленном убийстве. Двадцать арзамасских дворян подписали письмо, в котором уговаривали губернатора отступиться от Авдеева. Но Руновский остался непоколебим. Помещика-садиста лишили дворянства, чинов и отправили на каторжные работы. Новый губернатор сразу показал всем, что у него твердая рука и решительные намерения.

Больше всего вызывал его досаду вид города. Нижний был невероятно запущен, грязен и неказист. Руновский начал благоустройство улиц с освещения. Полусгнившие фонарные столбы были заменены новыми, а дорогие свечи в фонарях — масляными фитилями. Трудно давалось наведение порядка в городе, где улицы были замощены не камнем, а бревнами, дома, размещенные как попало, не составляли ровной линии, а многие постройки пугали своим уродством и неухоженностью. Но губерна-тора отличали два превосходных качества: упорство и последовательность, соединенные с умением настаивать на неукоснительном соблюдении законов. Его усилиями было положено начало обновлению города.

Много нелегких дел выпало на долю Руновского: строительство новой больницы и богадельни, формирование земского войска осенью 1806 года, устройство карантинов на Макарьевской ярмарке во время эпидемии чумы, меры против поджогов. Но главным его делом стала организация нижегород-ского ополчения в приснопамятном 1812 году.

Когда началась мобилизация, Руновский находился на Кавказских мине-ральных водах в отпуске, поправляя свое здоровье. Вернувшись с курорта, он с головой окунулся в бесконечные хлопоты. Кроме забот, связанных с ополчением, приходилось срочно заниматься и другими неотложными делами: поселением беженцев, обеспечением продовольствием идущих из Сибири маршевых батальонов, размещением эвакуированных из Москвы учреждений.

Суматошные дни, бессонные ночи. Нижний кипел людьми. Но вместе со своим надежным помощником — вице-губернатором Крюковым Руновский успевал управляться со всеми делами.

Вот что отметил в своем дневнике 9 октября 1812 года занесенный судь-бой в наш город финский студент Эрик Эрстрем:

«В Нижнем Новгороде создали ополчение против Наполеона. Все, кого взяли в ополчение, сохранили длинные волосы, а также свои бороды. Они лишь на время оставили плуги свои, дабы взяться за мечи.

Форма ополченцев простая, но красивая. Темно-серый кафтан с поясом того же цвета и четырехуголка на голове. У офицеров пояс, окантованный золотыми галунами, и эполеты позолоченные. Ружья

Когда Павел (император Павел I. - Ред.) отправился в путешествие по России, нижегородские власти, ожидая его приезда, продемонстрировали отменное раболепие, распорядившись заново перемостить мосты, сменить мостовые улиц, разровнять дороги, даже и не требовавшие починки. Время стояло весеннее, народ, оторванный от своих земледельческих забот и согнанный на устройство этой грандиозной показухи, роптал. Павел, узнав об этом, велел сделать выговор нижегородскому губернатору и оповестить всех, «чтобы ненужными работами жителей не изнурять».
И.Грачева

Благовещенская площадь

The Blagoveshtchenie Square

еще не получены, а посему солдатское вооружение состоит из пик...»

В декабре нижегородское ополчение выступило из города в поход. Проводив боевые дружины, Руновский почувствовал полный упадок сил. Через несколько месяцев он скончался, оставаясь на службе до своего смертного часа.

И хотя после него губернатором был назначен Степан Антонович Быховец (1813-1819), подлинным преемником, конечно, являлся вице-губернатор Александр Семенович Крюков. В молодости ему довелось служить в конной гвардии, затем он более десятилетия был директором государственного заемного банка. Все это пригодилось ему на новом месте, где решительность должна была сочетаться с расчетливостью, а настойчивость с осмотрительностью. Когда ночью 15 августа 1816 года сгорела ярмарка в старом Макарьеве, Крюков стал одним из тех, кто обеспечивал строительство новых торговых рядов уже в Нижнем Новгороде. Без его усердия, несомненно, дела шли бы намного медленнее. Став наконец-то первым лицом в губернии (1819-1827), Александр Семенович продолжал творить добрые дела.

Но тучи уже собирались над его головой. 1825 год, декабрь. На всю Россию раскатилось эхо от грома выстрелов на Сенатской площади в Петербурге. Двое сыновей Крюкова, Александр и Николай, члены «Союза благоденствия» и Южного общества, оказались замешанными в мятеже. Без лишнего шума Николай I перевел Александра Семеновича из губернаторов на неприметную должность. Ему поручалось следить за сохранностью архивов с дворянскими родословными. Так прошло несколько лет, пока нижегородские помещики, с которыми Крюков успешно собирал средства на ополчение в 1812 году, не вспомнили о нем. Подавляющим большинством голосов бывший губернатор был избран губернским предводителем дворянства. Не дали его в обиду нижегородцы, и он защищал их интересы, не жалея сил. Это по его предложению были в 1834 году собраны деньги для строительства благородного пансиона при гимназии, который послужил основой будущего Дворянского института.

С 1827 по 1831 год на посту губернатора один за другим сменялись Николай Иванович Кривцов, Иван Семенович Храповицкий, Илларион

Михайлович Бибиков. Пришел черед Михаила Петровича Бутурлина. Казалось, всем хорош был новый начальник: происходил из старинного дворянского рода, служил в кавалергардском полку, участвовал в Бородинском сражении, где был ранен, брал Париж. Любил порядок, чистоту, дисциплину, был гостеприимным и хлебосольным хозяином, но современники все же испытывали к нему неприязнь. Видимо, всем бросалось в глаза одно непременное свойство Бутурлина — святая простота, а значит, пунктуальное следование «высочайшим установлениям», если даже они мешали живому делу. Побывавший в Нижнем Новгороде французский писатель маркиз Астольф де Кюстин, человек наблюдательный и язвительный, сразу обнаружил это качество в «чрезвычайно кротком» и «милейшем» нижегородском губернаторе, который запросто рассуждал о том, что в России «злоупотребления властью стали чрезвычайно редки именно вследствие крайней строгости законов». Одаренный архитектор Антон Леер стал личным врагом Бутурлина только потому, что при строительстве военно-губернаторского дома в кремле поступил по своему усмотрению, не ожидая указаний свыше. Старший полицмейстер получил от губернатора предписание не допускать архитектора в кремль, и Леер был отстранен от работы в назидание другим.

Именно такой чинуша-губернатор, как Бутурлин, и мог принять останов-

...Бутурлин докладывал Николаю I о неблагонадежности нижегородского дворянства, потакающего беззакониям своего предводителя (Георгия Александровича Грузинского, которого губернатор подозревал в укрывательстве беглых крестьян - Ред.). Когда Николай посетил Нижний Новгород, Грузинский должен был встречать императора вместе с первыми лицами губернии. Но царь не пожелал даже видеть его... Отказался царь посетить и дворянское собрание...
Перепуганное дворянство принялось искать ключи к царскому сердцу через Бенкендорфа... Николай смягчился и милостиво удостоил своим посещением бал в дворянском собрании.
И.Грачева

вившегося ненадолго в Нижнем проездом из Петербурга в Оренбургские степи поэта Пушкина за тайного ревизора. Вероятно, так родился замечательный анекдот, и Пушкин впоследствии поделился им с Гоголем, которому мы обязаны бессмертным шедевром русской литературы — пьесой «Ревизор».

Да, к сожалению, не блистал умом Бутурлин, но тем не менее порядок в годы его губернаторства (1831-1843) был отменный. Осенью 1834 года в Нижний прибыл Николай I. Бутурлин удостоился высочайшего благоволения «за отличный во всех частях порядок и устройство». В Нижнем с усердием мостили улицы, возводили новые строения на ярмарке. Но эти обычные дела не прибавляли Бутурлину приязни нижегородцев. Современник вспоминал, что, когда надоевший своими докучливыми тривиальными суждениями и поступками губернатор ушел в отставку, в городе по этому случаю чуть ли не устроили иллюминацию.

Со временем губернаторства генерал-лейтенанта князя Михаила Александровича Урусова (1843-1855) связано создание в Нижнем Новгороде первой водопроводной сети. Вел работы талантливый инженер-гидротехник Андрей Иванович Дельвиг. В октябре 1847 года действие водопровода было опробовано в присутствии губернатора. На Благовещенской площади забил фонтан с бассейновой чугунной чашей, отлитый мастерами из Выксы. Это было впечатляющим событием. К сожалению, отношения губернатора с честным и принципиальным инженером не сложились. Вступив в конфликт с продажными чиновниками (в канцеляриях, по утверждению Дельвига, «ни шагу не делалось без взятки»), которым покровительствовал губернатор, прекрасный специалист вынужден был уйти в отставку и покинуть Нижний Новгород. Потакавший взяточникам Урусов не мог ужиться и с безупречным чиновником особых поручений писателем Павлом Ивановичем Мельниковым-Печерским, чурался требовательного управляющего удельной конторой Владимира Ивановича Даля. Так что у выдающихся деятелей — своих современников высокомерный губернатор не заслужил признания.

Кстати, об Урусове сохранилось забавное предание. С его приходом на губернаторство питейной торговлей в Нижнем стал ведать ловкий пройдоха

Церковь Симеона Столпника

Simeon Stolpnik Church

Церковь Живоносного
источника

Life-giving Spring Church

— чиновник Евреинов, получавший большие прибыли. Губернатору он предложил взятку — рубль с ведра вина, пообещав, что об этом не скажет никому ни слова. Ответ Урусова ошеломил его. «Два рубля с ведра, — невозмутимо заявил губернский начальник. — И можете об этом трубить всему свету…»

Недолго пробыл на губернаторском посту Федор Васильевич Анненков (1855-1856), которого сменил Александр Николаевич Муравьев. Это была приметная личность. В молодости Муравьев со своим младшим братом Михаилом, названным впоследствии «вешателем» за расправу с польскими повстанцами, примыкал к декабристам, был осужден на шесть лет каторги, замененной за «чистосердечное раскаяние» ссылкой в Сибирь. В должность нижегородского генерал-губернатора Александр Николаевич вступил уже седовласым стариком. Но преклонный возраст не помешал ему действовать энергично и напористо, когда он проводил чистку местной полиции и призывал к порядку привыкших к взяткам чиновников. Всей своей деятельностью Муравьев старался приблизить крестьянскую реформу. Еще в 1857 году, первому в России, ему удалось склонить передовую часть нижегородских дворян написать Александру II: «Дворяне желают не только улучшить, но и покончить навсегда с крепостным правом». Действия свободолюбивого губернатора вызвали недовольство среди чиновничьей верхушки и закоренелых крепостников-помещиков. По Нижнему гуляла в списках сатирическая поэма «Муравиада», в которой предавался анафеме «проклятый мураш» - так прозвали недруги губернатора-«крамольника». Вот какими «разительными» стихами потчевали его:

Помещиков, сановников,
Всех гонит наш кащей,
И душит он чиновников,
Как жирный кот мышей.
Уставы либеральные

В Нижнем мы пробыли три дня. За это время мы провели два вечера и один раз отобедали у губернатора Александра Муравьева. Возвратившись из Сибири вместе с другими осужденными, он был изумлен, узнав в Перми о назначении его губернатором Нижнего. Поскольку Анненков и его жена, имущество которых было конфисковано, еще не знали, что именно их ожидает в России, генерал предложил Анненкову занять место его секретаря; Анненков согласился…
Генерал Муравьев был человеком твердым… с обостренным чувством справедливости, приобретенным за долгие годы ссылки.
А.Дюма

Создатель первой
водопроводной сети
в Нижнем Новгороде
инженер А.И.Дельвиг

A.I.Delvitch, a military engineer,
left fond memories of himself
due to his organization
of public services and
amenities as well as
construction of the first water-
pipe supply in the city

Стал первый сочинять,
Чтоб в цепи социальные
Россию заковать.

Один из чиновников, служивших у Муравьева, впоследствии жаловался А.С.Гацискому: «При проклятом Мураше никто покоен не был. Того и гляди, бывало, ляжешь спать судьей, а проснешься свиньей».

Впрочем, Муравьев, человек богатой судьбы, запомнился не одной лишь борьбой с продажными чиновниками.

Стал принадлежностью не только истории, но также изящной словесности случай знакомства посетившего Нижний Новгород знаменитого Александра Дюма с Александром Муравьевым, который представил автору романа «Учитель фехтования» прототипов его героев — Ивана и Полину Анненковых. Романтическая история беззаветной любви французской девушки к сосланному на каторгу декабристу получила на глазах у изумленного писателя такое необыкновенное завершение. И в самом Муравьеве, благородном правдолюбце и правдоискателе, что не изменил прежним идеям, за которые пострадал, до глубокой старости сохранялась вера неисправимого романтика в лучшие времена.

После Муравьева долгие годы оставалась напоминанием о нем построенная на высоком берегу Оки против ярмарки готическая башня с часами, которую нижегородцы называли «Муравьевской дылдой».

Можно назвать вполне благоприятным время губернаторства генерал-лейтенанта Алексея Алексеевича Одинцова (1861-1873), у которого было в характере замечательное качество — терпимость. Покидая губернию, в речи на прощальном обеде он в шутку так отозвался о собственной деятельности: «Своим десятилетним управлением я доказал ясно (и это моя главная заслуга), что губерния могла десять лет отлично обходиться без губернатора». Благодаря Одинцову набирала силы местная пресса, поощрялись культурные инициативы.

Одинцов старался помогать всем добрым начинаниям по-мудрому — не мешая. Ведь ему не раз приходилось наблюдать, каким фарсом становится чиновное рвение, которое переходит всякие границы. Много шуму, например, наделало отношение на имя Одинцова, написанное в 1866 году генерал-губернатором ярмарки (были одно время в Нижнем и такие) Николаем Александровичем Огаревым, недалеким человеком и властным самодуром,

У водоразборной колонки

предлагавшим отдавать под надзор полиции или даже выставлять за пределы губернии всех женщин, которые вызывающе носили синие очки, стриженые волосы, ходили без кринолинов, демонстрируя свой «нигилизм» и неподчинение властям.

Следующим губернатором был граф Свиты Его Величества генерал-майор Павел Ипполитович Кутайсов, который отличался, по свидетельству современников, широкой увлекающейся натурой (1873-1880). Однажды он засиделся с гостями в ресторане до такой поздней поры, что ярмарочный генерал-губернатор Николай Павлович Игнатьев вынужден был послать к нему полицмейстера, чтобы урезонить нарушителя порядка. С легкой руки жены Кутайсова Ольги Васильевны стала всячески поощряться в Нижнем благотворительность. Сама графиня основала в 1875 году на Новобазарной площади детский приют, носивший ее имя. Это заведение считалось одним из лучших среди ему подобных.

Что же касается упомянутого вскользь строгого Игнатьева, нельзя не заметить, что в то время он был одним из самых популярных политических деятелей и в России, и в Европе. С ним водил дружбу Бисмарк, его почитали в Лондоне и Париже как блистательного дипломата, много сделавшего для подписания исторического Сан-Стефанского договора. В получившей автономию Болгарии графа Игнатьева, признанного заступника славян, боготворили, при встрече его засыпали цветами, позднее его именем назвали одну из центральных улиц Софии.

Успех сопутствовал Николаю Павловичу с самого начала его карьеры на военном и дипломатическом поприще. В девятнадцать лет он окончил Императорскую Военную Академию с большой серебряной медалью, в тридцать восемь стал самым молодым в России генералом. Превосходно справившись с дипломатическими миссиями в Хиве, Бухаре и Пекине, он затем долгое время пробыл послом в Турции, где за феноменальное влияние на государственную политику Османской империи его прозвали вице-султаном. Увенчанный лаврами триумфатора после Сан-Стефанского мира, он вернулся на родину, словно бы для краткой передышки получив пост временного ярмарочного генерал-губернатора в Нижнем. Несколько лет его работы здесь (1879-1881) оказались настолько благотворными для нижегородцев, что многие, кто непосредственно общался с Игнатьевым, смогли перенять великодушие и деловитость генерала. Нравственное воздействие этого выдающегося человека было исключительно велико.

Короткое время занимал губернаторский пост в Нижнем Новгороде Николай Александрович Безак (1880-1882).

Весьма колоритной личностью, с яркой биографией, которая могла бы послужить материалом для увлекательного остросюжетного романа, был один из самых популярных нижегородских губернаторов Николай Михайлович Баранов (1882-1897). Он получил образование в морском кадетском корпусе, служил на флоте. В России стал известен во время русско-турецкой войны 1877-1878 гг. Командуя небольшим торговым пароходом «Веста», он сумел одержать победу над грозным противником. По Парижскому договору, Россия тогда не могла держать военные корабли на Черном море, а воевать заставляла необходимость. Мирная «Веста» была переоборудована под боевое судно, на ней установили мортиры. Встретившись в море, неподалеку от Кюстенджи (Констанцы), с турецким броненосцем «Фехти-Буленд», пароход принял с ним бой. Держа дистанцию, «Веста» беспрерывно обстреливала броненосец. А тот никак не мог совладать с ускользавшим на крутой

Декабрист Иван Александрович Анненков. Его история послужила сюжетом для романа А.Дюма «Учитель фехтования»

Ivan Alexandrovich Annenkov, a participant of Anti-Tzar Rebellion in December 1825. His life story prompted Alexander Dumat the idea of novel «Teacher of Fencing»

Назначенный генерал-губернатором Нижегородской ярмарки граф Николай Павлович Игнатьев пользовался большой популярностью в России

Earl Nikolai Pavlovitch Ignatyev who was appointed governor-general of the Nizhny Novgorod Fair was very popular in Russia

Первым председателем
нижегородского суда (1869-
1881) был Панов, тот самый,
ято в 1878 году ссудил
деньгами Льва Толстого,
обокраденного по пути
в Самару. Однажды Панов
остался недоволен
постановлением суда за
время его отсутствия. Один
из членов хотел отшутиться:
«Конь о четырех ногах, и то
спотыкается». - «Эх, господа,
так конь-то один, а вас ведь
здесь целая конюшня!»
В другой раз выездная
сессия из Ардатова прислала
Панову телеграмму:
«Празднуем годовщину
судебных уставов». Старика
разбудили. «Ишь ведь, мало
им, что в Ардатове
пьянствуют: хотят, чтобы
и в Нижнем об этом знали».
Б.К.Садовской

волне суденышком: слишком неповоротлива оказалась кошка и весьма лов-
ка — мышка. Бой продолжался пять часов. В конце концов «Веста» смогла
вывести из строя броненосец, который прекратил преследование и сам
пустился наутек. Изрешеченная, покалеченная «Веста» с победой вернулась
к родным берегам. Весть об удивительном сражении и мужестве русских
моряков облетела весь мир. Подвиг «Весты» был приравнен к широко
известному подвигу брига «Меркурий», на героизм которого с начала XIX
века равнялся российский флот. Баранов был произведен в капитаны 2-го
ранга и награжден орденом св.Георгия.

Через некоторое время Баранову снова выпал случай проявить себя.
Получив командование уже над пароходом «Россия», он совершил удачный
поход к Пендераклии, где захватил турецкое судно «Мерсина» с большим
десантом и доставил его в Севастополь. За это Баранов был произведен в
капитаны 1-го ранга. Но быстрая флотская карьера его кончилась. Из-за
козней он вынужден был уйти в отставку. Через некоторое время он поступил
на службу в полевую артиллерию. В 1881 году его назначают исполняющим
должность ковенского губернатора, затем он — петербургский градоначаль-
ник, архангельский губернатор и, наконец, губернатор в Нижнем Новгороде.

Это был, безусловно, одаренный от природы, деятельный и решительный
человек, но излишне горячий, торопливый, запальчивый, подверженный
неожиданной смене настроения и нечуждый саморекламы. Действовал он без
правил, нестандартно, но не боялся брать на себя ответственность и
вступаться за подчиненных.

Современники подчеркивали его демократичность. «С девяти часов утра
обыкновенно приемная его была полна народом всякого звания, всех слоев
общества, всевозможных общественных положений и чиновых рангов,
начиная с какого-нибудь приехавшего из Петрограда сановника-звездонос-

ца, зашитого галунами, до простого серого мужика или рабочего-грузчика с Сибирской пристани» (А.Мельников).

— Орел! — говорили о нем нижегородцы. И добавляли: — Лихой орел! Это когда видели, как Баранов гарцует на лошади. Кстати, в Нижнем Николай Михайлович возглавлял общество любителей конского бега.

«Последствия неурожая» 1891 года он первый отважился публично назвать голодом, чем вызвал неудовольствие высшего света. Но до этого сам верил докладам тех уездных начальников, которые старались убедить губернатора, что голода у них нет, а есть только пьянство. Когда ему было доказано обратное (в частности, это касалось положения дел в Лукоянове), он сразу же решил восстановить справедливость. Вот как об этом рассказывает в заметках «В голодный год» Владимир Галактионович Короленко.

«Генерал Баранов был задет и возбужден...

Судьба этого несомненно талантливого человека была прихотлива и страшна. Не в первый уже раз ему приходилось ломать своими руками то самое, что еще недавно он сам же и строил. Некогда в Петербурге, в качестве градоначальника, он обставил город рогатками, которые чуть не вызвали возмущение. Когда ему дали знать о волнении толпы, он прискакал на место и, ухватясь за рогатки руками, крикнул: «Ломай, ребята!» Рогатки были тотчас же сломаны под крики: «Ура, генерал Баранов!..» Теперь ему приходилось ломать лукояновскую систему, которой он же дал укрепиться... И он принялся за исполнение этой задачи с энергией и блеском, на которые, действительно, можно было залюбоваться... Он заявил, что... немедленно же отправляется в Лукояновский уезд, чтобы убедиться в положении дела на месте.

На следующий же день (29 марта) почтовая тройка умчала генерала Баранова по испорченным дорогам на Арзамас... Как снег на голову, очутился в самом центре отложившегося уезда... Здесь он вызвал к себе воинствовавших земских начальников, заставил господина Пушкина (земского начальника 2-го участка А.Л.Пушкина, потомка великого поэта.— В.Ш.) в первый раз посетить Пралевку и Дубровку, водил «начальников» по избам тифозных, причем привезенный им из Нижнего врач Н.Н.Смирнов ставил диагнозы...

Второго апреля ген.Баранов ранним утром вернулся в Нижний, экстренно созвал в тот же день губернскую продовольственную комиссию и сделал перед ней энергичный и резкий доклад о своей поездке».

Такова была эта необычайная натура, умевшая не теряться в чрезвычайных обстоятельствах. Когда вскоре в Нижнем Новгороде началась холерная эпидемия, он с такой же решительностью принимал необходимые меры, ограждая всероссийскую ярмарку от страшной заразы, устраивая на Волге плавучие госпитали-бараки. Ничтоже сумняшеся, он отвел под холерный госпиталь губернаторский дворец.

Готовый преодолеть все препятствия, Баранов способствовал расцвету отечественного предпринимательства. Недаром в годы его губернаторства Нижегородская ярмарка приносила самые большие доходы, а слава о ней распространилась по всему свету. Это был триумф русского купечества. Он всегда стоял за гласность и поддерживал прессу. Не лишен он был и чувства юмора, написав в одном своем обращении: «За присылку почтой угроз мне лично благодарю сочинителей, доставляющих доход казне покупкою марок». В конце жизни нижегородский губернатор стал сенатором. В память о нем эскадренный миноносец на Черном море носил имя «Капитан-лейтенант Баранов».

... 1886 год. Нижегородскую ярмарку посетил царь Александр III... Молодой Владимир Смирнов поднес царю лафитник, тот сделал глоток и в задумчивости потрепал паренька по плечу. Потом опрокинул лафитник и прищелкнул пальцами. Вздох облегчения качнулся в воздухе. Это означало, что с сей минуты Петр Смирнов и его сыновья становились поставщиками водки на императорский двор.
Г.Семар

Нижегородский полицейский - непременная фигура на улицах «торговой столицы»

A Nizhny Novgorod policeman was an indispensable figure in the streets of the «trade capital»

И вот такого деятеля В.И.Ленин назвал одним из «знаменитых российских помпадуров», советские историки характеризовали Баранова как «ловкого, хитрого, двуличного дельца и карьериста», бранили «самодуром». Но справедливо ли это? Николай Михайлович Баранов своими боевыми успехами и своей гражданской деятельностью, конечно же, заслужил, чтобы о нем помнили с уважением и благодарностью.

Преемником Баранова стал приехавший в Нижний Новгород с Дальнего Востока генерал-лейтенант Павел Федорович (Павел-Симон Фридрихович) Унтербергер. Во всем следуя высоким нравственным принципам, он, обрусевший немец, пользовался всеобщим доверием в Приморье, где был не только губернатором, но и наказным атаманом Уссурийского казачьего войска, почетным гражданином Владивостока и Хабаровска. Мягкосердечие влекло его к благотворительной деятельности, он состоял в обществах «Красного Креста», охранения народного здравия, помощи нуждающимся женщинам и еще в более чем двадцати подобных обществах. Полученные премиальные — почти три тысячи рублей — он пожертвовал в фонд увечных солдат. И это было его естественным жестом. Он всегда спешил на выручку тем, кому приходилось трудно, кто терпел нужду. Из-за сильной засухи жителям Семеновского и Сергачского уездов грозил голод. Ознакомившись с положением на местах, Унтербергер немедленно обратился к правительству за продовольственной помощью.

И при этом едва ли противоречила его поступкам характеристика, данная генерал-лейтенанту А.Мельниковым: «Строгий, даже до педантизма, законник и в высшей степени, даже до мелочности, осторожный человек».

Это при нем произошла в 1902 году знаменитая первомайская демонстрация, отображенная М.Горьким в романе «Мать». Пролетарский писатель с сочувствием отнесся к рабочим и с презрением к властям. Но реальная

Внушительной была богатырская фигура с синей лентой через плечо Павла Федоровича Унтербергера, но он оказался бессильным перед беспорядками, забастовками и бунтами, что происходили во время его губернаторства

The figure of Pavel Fridrikhovitch Unterberger with a blue band over his shoulder was really Herculean, but he proved to be helpless and could not suppress disorders, sirikes, and rebellions which took place while he was at office

картина была не совсем такова, как это представлено в политическом романе. Унтербергер старался все конфликты уладить миром и не допустить репрессий со стороны властей. Однако компромиссы не помогли: революционное брожение не унималось, а нарастало. Весной 1905 года ситуация была уже неуправляемой, о чем свидетельствуют многие источники. Особенно крутой оборот приняли события в Сормове.

Растерявшийся губернатор доносил в департамент полиции: «На устраиваемых митингах, собраниях, вечерах, где число присутствующих доходит до нескольких тысяч, ораторами произносятся зажигательные речи, которыми население, и рабочий класс в особенности, призывается к неповиновению властям, свержению существующего правительства, к всеобщему вооружению, революции. На митингах и собраниях распространяются прокламации крайних партий и производится сбор пожертвований на всеобщее вооружение».

На вид богатырь богатырем, имевший боевой опыт, когда-то участвовавший в защите русского консульства в Урге, но не допускавший мысли, что можно воевать против собственного народа, гуманный Унтербергер расписался в собственном бессилии. Осенью злополучного мятежного года, накануне декабрьского вооруженного восстания, он был отозван из Нижнего и распрощался с ним.

Осталась в анналах нижегородской истории своеобразная фигура барона Константина Платоновича Фредерикса, ставшего вице-губернатором при Баранове и некоторое время управлявшего губернией после Унтербергера. Как писал А.Мельников, Фредерикс преклонялся перед административным гением Баранова, «называл себя его учеником, сознаваясь будто бы в интимных беседах с друзьями, что всегда, когда предстояло ему что-нибудь затруднительное, требующее известной решимости, он задавался вопросом:

Дряхлого генерела Шелковникова, начальника гарнизона, поочередно сменяли: барон Меллер-Закомельский, герой Ахал-Текинской экспедиции и турецкой войны, георгиевский кавалер, затем известный Церпицкий, лихо принимавший парад 6 мая 1900 г. в память Суворова, и генерал Бертельс, маленький седой толстяк. На параде весной 1902 года Бертельс произнес сильную речь в связи с беспорядками в Сормове. «Государство есть семья!» - начал генерал и кончил, обращаясь к солдатам: «Пусть ни у кого не дрогнет рука, когда прикажут кого-нибудь пристрелить или приколоть!»
Б.К.Садовской

как поступил бы в данном случае Баранов?» Революционное возбуждение казалось Фредериксу эпидемией, от которой нужно было отвлечь внимание гульбой и развлечениями, но спасти общество от «заразы» барону не удалось.

Исключительно оригинальной личностью на посту нижегородского губернатора был Алексей Николаевич Хвостов. Он сменил «опьяневшего от власти, взбалмошного» (А.Мельников) Михаила Николаевича Шрамченко, что изо всех сил старался управлять губернией с необходимой после кровавых революционных событий 1905 года твердостью (1906-1910). У Хвостова же была постоянная тщеславная потребность выделиться. Губернатор любил покрасоваться на людях, выступить с патетической речью. А заверял он слушателей в нерушимой верности монархии, любви к русскому народу, в стремлении принести пользу отечеству на поприще очищения его от всех пагубных влияний. Громкие заявления губернатора пользовались большим успехом у темпераментных ура-патриотов, Хвостов был принят в почетные члены «Союза русского народа» и знак его вызывающе носил на мундире. Крайние взгляды он старался подтвердить соответствующими поступками. Так, публично заявив о своей неприязни к немцам, он добился у царя разрешения, чтобы его дочь-гимназистка была освобождена от занятий немецким языком. И не состояние дел в губернии больше всего интересовало его, а поиски способов удовлетворить свои амбиции.

Намереваясь избираться в Государственную думу, Хвостов делал все, чтобы подготовить себе почву, избавляясь от «вредных элементов». Приемы применялись самые грубые. Испробован был и способ отдачи под суд неугодных лиц, которые могли помешать губернатору. Ему удалось привлечь к суду едва ли не целиком нижегородскую губернскую земскую управу во главе с ее председателем, авторитетным общественным деятелем А.А.Савельевым. Сумел Хвостов поднять шум вокруг якобы незаконных действий ярмарочного комитета, чья самостоятельность представлялась ему опасной. Дискредитация соперников, фиктивные свидетельства, ложные слухи, оговоры — все это с успехом отрабатывалось в предвыборных ристаниях.

В губернаторском кресле - Михаил Николаевич Шрамченко

Mikhail Nikolajevitch Shramtchenko is in the Governor's armchair

Без помощи канцелярии и губернатор не губернатор - так полагал М.Н.Шрамченко, как, впрочем, и все, кто когда-либо занимал губернаторское кресло

M.N.Shramtchenko thought like all those who were ruling the province of Nizhny Novgorod

Барон Константин Платонович Фредерикс считал себя последователем Баранова и наводил порядок властною рукой

Baron Konstantin Platonovitch Frederix considered himself to be a successor of Baranov and maintained peace and order masterfully

Алексей Николаевич Хвостов стремился превратить Нижний Новгород в надежную опору монархии

Aleksey Nikolayevitch Khvostov was trying to make Nizhny Novgorod a reliable support of the monarchy

Фигура нижегородского губернатора могла бы показаться комичной, если бы за его напыщенностью, склонностью к пустым, но пышным речам, самовлюбленностью, сибаритством, барскими замашками и показным верноподданничеством не таились безграничная алчность, произвол, мстительность, вероломство и пакостливость. Он был человеком крайностей и любил разжигать безрассудные страсти.

Солидные, уважавшие себя люди, состоятельные предприниматели, интеллигенты сторонились губернатора-краснобая, пекшегося о собственной славе и спекулировавшего духовными национальными святынями. Но тот был неуемен. Он втерся в доверие к царю и добился избрания в депутаты Государственной думы. Там ему тоже сопутствовал успех: Хвостов возглавил фракцию правых в Думе. Узнав о его прошении об увольнении с губернаторского поста, многие нижегородцы облегченно перекрестились: «Слава Богу!» А удачливый защитник «русских интересов» вскоре становится министром внутренних дел, соперничая с Григорием Распутиным за влияние на императрицу Александру Федоровну. В придворных кругах усмешливо поговаривали, что поста министра для Хвостова добились нижегородские предприниматели, собрав мешок денег и вручив его кому следует, чтобы только убрать экзотическую личность, «шута горохового» из своего города.

Довольно долгий срок губернаторское место оставалось вакантным, словно никто не соглашался его занять. Затем на нем появился Виктор Михайлович Борзенко (1914-1915). Известно о его попытках решительно покончить с пьянством, опираясь на запрет торговли вином в ресторанах. Вместе с полицмейстером Фримерманом он додумался до того, чтобы в каждый особенно посещаемый трактир посадить по околоточному, вменив ему в обязанность не допускать тайных возлияний. Такая мера принесла обратный эффект: мало того что пьянки теперь совершались под непосред-

...Перед прибытием царской семьи (17 июля) весь Нижний базар, Зеленский съезд и Благовещенскую площадь покрыли толпы народа. Загудели колокола. Раскаты «ура» все ближе. Вверх по Зеленскому съезду ехал в пролетке эффектный Баранов в полной парадной форме, похожий на исхудалого ястреба, в густых эполетах. Он оборачивался назад. За ним коляска, парой вороных с дышлом. Государь был в сером плаще и фуражке с красным околышем, государыня в белом платье. Следом в разнообразных экипажах тащилась свита. Кто-то из великих князей проехал на русской тройке в блестящей упряжи.
Б.К.Садовской

Виктор Михайлович Борзенко
пытался вести борьбу
с пьянством, но, увы,
безуспешно

Viktor Mikhailovitch Borzenko
was trying to fight against hard
drinking but unfortunately
he was not a success

ственной охраной подкупленной трактирщиками полиции, но и сами полицейские чины обнаружили склонность к пагубному зелью.

Последним нижегородским губернатором до известного революционного переворота в 1917 году был Алексей Федорович Гирс, принадлежавший к старинному роду шведских дворян, что издавна жили в России. Служебная карьера Гирса складывалась негладко. Когда он был киевским губернатором, произошло покушение на Столыпина. И хоть следствие показало, что предотвратить покушение Гирс никак не мог, репутация его пострадала.

Члены Гордеевского
участкового комитета

Members of Gordeyev District
Committee

Мундир губернского чиновника обязывал выглядеть достойно

One had «to mach» his position of a regional official in appearance

Вице-губернатор С.И.Бирюков

S.I.Biryukov, Vice-Governor

Перевод на губернаторство в Минск стал деликатным выходом из неловкой ситуации. В ноябре 1915 года Алексей Федорович переехал из Минска в Нижний Новгород.

В разгаре была война с Германией. Большой город на Волге заполняли беженцы с западных окраин империи. Бездомные, обносившиеся, голодные, они нуждались в теплом приюте и хлебе. Гирс прилагает все силы, чтобы оказать им необходимую помощь. На его долю выпала также сложнейшая задача разместить эвакуированные заводы. Нарастал экономический хаос, но в Нижнем Новгороде старались противостоять ему, избегая катастрофических беспорядков. Губернатор привлекает к значительным благотвори-

тельным акциям купечество, не жалеет даже фамильных ценностей, чтобы помочь неимущим. Более того, вместе с городским головой Дмитрием Васильевичем Сироткиным он предлагает ректору эвакуированного в Москву, но вынуждаемого обстоятельствами самоликвидироваться Варшавского политехнического института подходящие условия для устройства в Нижнем всего преподавательского состава. Так была создана предпосылка для образования Нижегородского университета. И нельзя забывать этой заслуги губернатора.

Не уклоняясь от трудных дел, Алексей Федорович оставался на посту до крайнего срока и в те революционные февральские дни, когда ему грозила расправа. С нескрываемым пристрастием рисует картину его ареста видный нижегородский большевик Николай Иванович Иконников: «...Под руководством Евлампия Дунаева, члена партии с 1905 года, мы пошли арестовывать губернатора Гирса. Приходим в губернаторский дом — нигде никого нет, ни сотрудников, ни самого Гирса. Стали осматривать все кругом внимательно, видим в одной комнате маленькую дверь. Открываем ее, а за дверью церковь небольшая, вернее, молельня. Там Гирс с женой. Он в штатском костюме, шляпа лежит возле него. Стоят одетые по-дорожному. Видно, готовились бежать. При виде нас Гирс затрясся и побледнел...»

Благовещенская площадь

The Blagoveshtchenie Square

Как бы то ни было, но, выйдя из заключения, Алексей Федорович остался в Нижнем, хотя у него была возможность уехать, ему даже предлагали это. Гирса ждал трагический конец. Он был расстрелян местными чекистами осенью 1918 года.

Тогда многих унесла крутая мутная волна нещадной революционной стихии. По многим не затеплились поминальные свечки в храмах. Да и сами храмы исчезали с лица земли. Надолго прервалась связь времен, чтобы спустя десятилетия снова восстановиться. И стало потребностью помнить о прошлом, потому что оно не чье-нибудь, а наше.

Максим Горький

Из повести «В людях»

...Я еду с хозяином на лодке по улицам ярмарки, среди каменных лавок, залитых половодьем до высоты вторых этажей. Я — на веслах; хозяин, сидя на корме, неумело правит, глубоко запуская в воду кормовое весло; лодка неуклюже юлит, повертывая из улицы в улицу по тихой, мутно задумавшейся воде.

— Эх, высока нынче вода, черт ее возьми! Задержит она работы, — ворчит хозяин, покуривая сигару; дым ее пахнет горелым сукном.

— Тише! — испуганно кричит он. — На фонарь едем!

Справился с лодкой и ругается:

— Ну и лодку дали, подлецы!

Он показывает мне места, где после спада воды начнутся работы по ремонту лавок. Досиня выбритый, с подстриженными усами и сигарой во рту, он не похож на подрядчика. На нем кожаная куртка, высокие до колен сапоги, через плечо — ягдташ, в ногах торчит дорогое двухствольное ружье Лебеля. Он то и дело беспокойно передвигает кожаную фуражку — надвинет ее на глаза, надует губы и озабоченно смотрит вокруг; собьет фуражку на затылок, помолодеет и улыбается в усы, думая о чем-то приятном — и не верится, что у него много работы, что медленная убыль воды беспокоит его, — нем гуляет волна каких-то, видимо, неделовых дум. А я подавлен чувством тихого удивления: так странно видеть этот мертвый город, прямые ряды зданий с закрытыми окнами, город, сплошь залитый водою и точно плывущий мимо нашей лодки.

Небо серое. Солнце заплуталось в облаках, лишь изредка просвечивая сквозь их гущу большим серебряным, по-зимнему, пятном.

Вода тоже сера и холодна; течение ее незаметно; кажется, что она застыла, уснула вместе с пустыми домами, рядами лавок, окрашенных в грязно-желтый цвет. Когда сквозь облака смотрит белесое солнце, все вокруг немножко посветлеет, вода отражает серую ткань неба, — наша лодка висит в воздухе между двух небес; каменные здания тоже приподнимаются и чуть заметно плывут к Волге, Оке. Вокруг лодки качаются разбитые бочки, ящики, корзины, щепа и солома, иногда мертвой змеей проплывет жердь или бревно.

Кое-где окна открыты, на крышах рядских галерей сушится белье, торчат валяные сапоги; из окна на серую воду смотрит женщина, к вершине чугунной колонки галерей причалена лодка, ее красные борта отражены водою жирно и мясисто.

Кивая головой на эти признаки жизни, хозяин объясняет мне:

— Это — ярмарочный сторож живет. Вылезет из окна на крышу, сядет в лодку и ездит, смотрит — нет ли где воров? А нет воров — сам ворует...

Он говорит лениво, спокойно, думая о чем-то другом. Вокруг тихо, пустынно и невероятно, как во сне. Волга и Ока слились в огромное озеро; вдали, на мохнатой горе, пестро красуется город, весь в садах, еще темных, но почки деревьев уже набухли, и сады одевают дома и церкви зеленоватой теплой шубой. Над водою стелется густо пасхальный звон, слышно, как гудит город, а здесь - точно на забытом кладбище.

Наша лодка вертится между двух рядов черных деревьев, мы едем главной линией к Старому собору. Сигара беспокоит хозяина, застилая ему глаза едким дымом, лодка то и дело тычется носом или бортом о стволы деревьев, - хозяин раздраженно удивляется:

— Этакая подлая лодка!

— Да вы не правьте.

— Как же можно? — ворчит он. — Если в лодке двое, то всегда — один гребет, другой правит. Вот смотри: Китайские ряды...

Я давно знаю ярмарку насквозь; знаю и эти смешные ряды с нелепыми крышами; по углам сидят, скрестив ноги, гипсовые фигуры китайцев; когда-то я со своими товарищами швырял в них камнями, и у некоторых китайцев именно мною отбиты головы, руки. Но я уже не горжусь этим...

— Ерунда, - говорит хозяин, указывая на ряды. — Кабы мне дали строить это...

Он свистит, сдвигая фуражку на затылок.

А мне почему-то думается, что он построил бы этот каменный город так же скучно, на этом же низком месте, которое ежегодно заливают воды двух рек. И Китайские ряды выдумал бы...

Утопив сигару за бортом, он сопроводил ее плевком отвращения и говорит:

— Скушно, Пешков! Скушно! Образованных людей — нет, поговорить не с кем. Захочется похвастать — а перед кем? Нет людей. Всё плотники, каменщики, мужики, жулье...

Он смотрит вправо, на белую мечеть, красиво поднявшуюся из воды, на холме, и продолжает, словно вспоминая забытое:

— Начал я пиво пить, сигары курю, живу под немца. Немцы, брат, народ деловой, т-такие звери-курицы! Пиво — приятное занятие, а к сигарам — не привык еще! Накуришься, жена ворчит: «Чем это от тебя пахнет, как от шорника?» Да, брат, живем, ухитряемся... Ну-ка, правь сам...

Положив весло на борт, он берет ружье и стреляет в китайца на крыше, — китаец не потерпел вреда, дробь осела крышу и стену, подняв в воздухе пыльные дымки.

— Не попал, — без сожаления сознается стрелок, и снова вкладывает в ружье патрон... <...>

...Мы въезжаем в кусты Мещерского озера, оно слилось с Волгой.

— Тише греби, — шепчет хозяин, направляя ружье в кусты.

Застрелив несколько тощих куликов, он командует:

— Едем в Кунавино! Я останусь там до вечера, а ты скажешь дома, что я с подрядчиками задержался...

Высадив его на одной из улиц слободы, тоже утопленной половодьем, я возвращаюсь ярмаркой на Стрелку, зачаливаю лодку и, сидя в ней, гляжу на слияние двух рек, на город, пароходы, небо. Небо, точно пышное крыло огромной птицы, все в белых перьях облаков. В синих пропастях между облаками является золотое солнце и одним взглядом на землю изменяет все на ней. Все вокруг движется бодро и надежно, быстрое течение реки легко несет несчетные звенья плотов; на плотах крепко стоят бородатые мужики, ворочают длинные весла и орут друг на друга, на встречный пароход. Маленький пароход тащит против течения пустую баржу, река сносит, мотает его, он вертит носом, как щука, и пыхтит, упрямо упираясь колесами в воду, стремительно бегущую навстречу ему. На барже, свесив ноги за борт, сидят плечо в плечо четыре мужика - один в красной рубахе - и поют песню; слов не слышно, но я знаю ее.

Мне кажется, что здесь, на живой реке, я все знаю, мне все близко и все я могу понять. А город, затопленный сзади меня, - дурной сон, выдумка хозяина, такая же малопонятная, как он сам...

Досыта насмотревшись на все, я возвращаюсь домой, чувствую себя взрослым человеком, способным на всякую работу. По дороге я смотрю с горы кремля на Волгу, — издали, с горы, земля кажется огромной и обещает дать все, чего захочешь.

ФЛАГИ ЯРМАРКИ

Нижегородская Стрелка — особое место в России, извечная встреча двух родных сестер Оки и Волги. Теплое степное дыхание Оки и прохладные влажные ветра заволжских лесов сливаются в единый поток над стреловидной низиной.

Стрелка — место древних переправ через Оку и начало дорог на балахнинскую сторону и в чащобную глушь Владимирщины. Кунавинская торговая слобода издавна жила на левобережье, под боком у своего хозяина — Нижнего Новгорода.

Торговала она бойко, но не слишком шумно. Конечно, слава Макарьевской ярмарки, что случалась ежегодно на девяносто верст вниз по Волге, и не снилась ей!

Тамошнее торжище, возле устья Керженца, напротив торгового села Лыскова, официально было объявлено в 1641 году. Ярмарка у Макарьев-Желтоводского монастыря собирала не только торговый люд с Верховой и Низовой Волги, она хорошо знала гостей из дальних стран, с Востока и Запада. На рубеже XVIII-XIX веков любопытствующие путешественники отмечали, что торговый праздник у Макарьева больше и богаче, чем известные в Европе ярмарки во Франкфурте и Лейпциге.

Жила ярмарка долгие годы, обновляясь и ширясь, несмотря на весенние половодья и частые пожары.

Но огненная напасть 1816 года была ужасающей и невосполнимой! Красный петух, багряный взбалмошный кочет, вытоптал огромную территорию до золы. Даже поговаривали о намеренном поджоге.

Торговая Россия присмирела в унынии.

Однако официальный Петербург уже вскоре объявил свою волю: ярмарке быть, но в Нижнем Новгороде.

Вначале появилась идея о возрождении торжища на нижегородской стороне Волги, за Казанской заставою, над Печерским монастырем. Но торговля в основном жила водными путями. Подъем грузов на греби приречных откосов был делом трудоемким. Вот тогда взоры первостроителей и

К концу XIX века белые
крылья парусов сменились
на темное многотрубье
пароходов

Towards the end of the 19th
century instead of white wings
of sails there appeared
numerous funnels of steamers

обратились к Стрелке, которая, словно пристань, один борт подставляла гостям, плывшим по Волге, а другой — тем, кто прибывал по Оке.

Шла весна 1817 года. Под закопченными стенами Макарьев-Желтоводского монастыря еще растаскивали обгорелые бревна. А на пожарище уже поднимался отчаянный, густой чертополох. В те дни чуть ниже Кунавина весело пахло свежим тесом, открытый простор был заполнен звоном топоров и песнею пил. Рождалась новая торговая столица России!

15 мая под колокольный перегуд освящалась закладка ярмарки. Она по-прежнему будет именоваться Макарьевской, а святой Макарий Желтоводский и Унженский останется навсегда ее покровителем, патроном русского купечества.

Еще приезжая на старую ярмарку, гости дивились необычайному умению русских плотников. Так было и ныне: спустя всего одиннадцать месяцев после гибели торгового городка в устье Керженца, к июлю 1817 года, напротив Нижнего вновь было построено около трех тысяч лавок, церковь и даже временное здание театра!

Со строительством ярмарки обычно связывают самое известное имя — генерал-лейтенанта Августина Августиновича Бетанкура. Конечно же, в создании архитектурного ансамбля ярмарки, в работах по ее благоустройству принимало участие целое созвездие талантливых зодчих, инженеров, художников. Бетанкур осуществил выбор места и возглавил общее руководство ярмарочным комплексом, создание обводного канала, строительство Гостиного двора в 1817-1822 годах.

С именем знаменитого О.Монферрана связано возведение Спасского собора (1822 г.), «родственника» Исаакиевскому собору в Петербурге. Ныне это кафедральный собор Нижнего Новгорода, более известный горожанам как Староярмарочный.

Тишину Макарьевской обители перестал тревожить гул купеческого праздника

The hum of the merchant festival ceased to disturb the silence of the Makaryev abode

Стрелка была удобна для подвоза товаров, но требовались решительные работы по осушению болотистой низины в междуречье Оки и Волги. Строились канализация и канавы для сточных вод, прокладывались русла каналов. Кстати, канализация на Нижегородской ярмарке была первой не только в России, но и в Европе. Желанной для нижегородцев новинкой был и разводной плашкоутный мост через Оку.

Ярмарка была местом промышленных «премьер». В 1820 году здесь появился пароход, построенный на Каме. «Первенец» нещадно дымил.

К концу XIX века Макарьев жил лишь смутными воспоминаниями о былом торжище

Towards the end of the 19th century Makaryev only had vague memories of the former trade

Строитель ярмарки инженер
А.А.Бетанкур

Engineer A.A.Betankur, the
builder of the Fair

Китайские ряды.
Рисунок первой половины
XIX века

Tea trade was the «Key point»
of the Fair and the Chinese
rows were its folk adornment.
Drawing of the first half
of the 19th century

Копоть оседала хлопьями на свежеструганные палубы белян и светлые паруса барок. Народ пугался и дивился!

Праздник российского купечества начинался ежегодно 15 июля и продолжался до 15 августа (затем его продлили до 25 августа).

В наши дни от первоначальных ярмарочных построек сохранился лишь уже упомянутый Спасский собор. Он стоит, зажатый многоэтажными безликими коробками. Конечно, в этом окружении он в определенной мере утрачивает свою былую монументальность. А ведь он был доминантой застройки территории: его высота достигает тридцати пяти метров. В отделке собора были использованы колонны со сложными коринфскими капителями.

Монферран был одной из самых ярких личностей среди первостроителей ярмарки

Montferrand was one of the brightest personalities among the first builders of the Fair. He was creating its spiritual sacred thing — the Spassky (Old-Fair) Cathedral

По моделям крупного петербургского скульптора Ф.Торричелли создавались лепные украшения. Он был одним из авторов отделки интерьеров Адмиралтейства. Академик Александр Васильевич Ступин с группой своих учеников из арзамасской школы живописи трудился над росписью сводов собора.

Но давайте, опираясь на свидетельство современника, представим картину Нижегородской ярмарки в первой половине XIX века.

«Балаганы расположены регулярнейшим образом, а именно: вдоль Оки по левую сторону от моста — Сибирская железная линия, далее — между рекой

Многие и очень многие почтенные толстосумы вырывались на ярмарку из-под надзора своих законных супруг, чтобы кутнуть раз в году во всю ширь русской натуры. Полтора месяца идет дым коромыслом. Тут на вольной воле есть где разгуляться: и девицы-красотки одна лучше другой, не то, что своя шестипудовая Аграфена Поликарповна, и шампанского море можно вылакать, и никто не осудит. Никому и невдомек где-нибудь в Иркутске, что именитый, всеми уважаемый купец и градской глава невылазно сидит здесь в ресторане или шантане и пьет мертвую. Приказчиков с собой взял лихих; они по торговле или закупкам все оборудуют, а чтоб им рот зажать, на то капиталы имеются. Да коли и убыток «ярманка» даст - беда не велика; зато душеньку на полной свободе отвел.
Н.И. Собольщиков-Самарин

Окский плашкоутный мост - главный вход на ярмарку

The Oka pontoon bridge - the main entrance to the Fair

Уличные торговцы-разносчики

Peddlers

и длинным озером — ряды: лоскутный, кафтанный, ягодный, иконный, хлебный, пироженный, мясной, наконец, бойня. По правую руку, вдоль берега, ряды: хрустальный, фаянсовый и канатный; за ними параллельно озеру: стеклянный, холщевый, мыльный, вареньешной, меховой, шляпный и рукавишной. Донской, Уральский кожевенный, Ярославский железный, Нижегородский железный, табачный, корзинный, горячей воды, сапожный, светильный, циновочный, окошечный и, наконец, харчевни. Перейдя широкий мост через указанное озеро (на нем сверх того еще устроено четыре моста), по правой руке расположены меняльные и мелочные лавки, линии: фарфоровая, зеркальная, мебельная...»

А существовали еще ряды: жемчужный, серебряный, галантерейный, игольный, позументовый, фруктовый, водочный, напиточный и прочие, прочие. Со стороны волжского берега Стрелки располагались склады чая, который привозился из Китая через знаменитый забайкальский город Кяхту.

География Российской империи и ее соседей звучала в названиях улиц-линий: Большая Сибирская, Бухарская, Китайская... Начиная жизнь на новом месте, ярмарка с блеском и пышностью отметила памятное для себя событие — открытие каменного Гостиного двора. Произошло это 24 августа 1822 года.

Ярмарка процветала, множилась, привлекала к себе гостей со всех концов света.

В сентябре 1830 года А.С.Пушкин, находясь в нижегородской вотчине, в родовом Болдине, завершает работу над «Путешествием Онегина», где отправляет своего странствующего героя в Нижний, на ярмарку:

> Тоска, тоска! Он в Нижний хочет,
> В отчизну Минина. Пред ним
> Макарьев суетно хлопочет,
> Кипит обилием своим.
> Сюда жемчуг привез индеец,
> Поддельны вины европеец,

144

Табун бракованных коней
Пригнал заводчик из степей,
Игрок привез свои колоды
И горсть услужливых костей,
Помещик — спелых дочерей,
А дочки — прошлогодни моды.
Всяк суетится, лжет за двух,
И всюду меркантильный дух.

Знаменитый французский поэт Теофиль Готье, посетивший Россию в 1858-1859 годах, в августе 1861 года вновь отправляется в путь по Волге от Твери к Нижнему.

В своих очерках «Лето в России» он восклицает: «Нижний Новгород уж давно вызывал во мне непреодолимое влечение. Никакая мелодия так сладко не отдавалась в моих ушах, как это далекое и неопределенное название. Я повторял его, словно молитву, почти не давая себе в этом отчета, и с чувством несказанного удовольствия высматривал город на картах. Начертание его названия нравилось мне, как красивая вязь арабески».

Оценив пестроту ярмарочного торжища, китайский квартал, восточные лавки, гость с внимательным удовлетворением заметил соседство крестов православной церкви и золотого полумесяца мечети. После этой прогулки поэт отправляется в ресторан «Никита». Он рассказывает, что «это деревянный дом с широкими окнами, сквозь стекла которых видны большие листья комнатных растений». И далее: «Официанты в английской форме подали мне уху из стерляди, бифштексы с хреном, рагу из рябчиков (рябчики неизбежны!), цыпленка по-охотничьи... Обед сопровождался взбитой сельтерской водой и вполне правдоподобным бордо «Лаффит». Но более всего мне доставило удовольствие, что я мог закурить сигару, ибо на ярмарке строго-настрого запрещалось курить. Там допускался огонь лампад, горевших перед образами в каждой лавке».

На рубеже XX века Окский мост оживили первые трамвайчики

At the beginning of the 20th century the Oka bridge was animated with the first small trams

Курение табаку запрещено на всех улицах ярмарки, кроме нового сквера и палисадников около главного дома и театра-буфф.
*Из Правил
Нижегородской ярмарки*

Первый председатель
Нижегородского ярмарочного
и биржевого комитетов
А.П.Шипов (1864 -1875 гг.)

A.P.Shilov, the first chairman of
the Nizhny Novgorod Fair and
Exchange Committee
(1864 -1875)

Отсюда, от Главного входа
Всероссийской выставки,
путь к семидесяти
государственным и ста
двадцати частным
павильонам. Экспонатов на
выставке было 9700,
посетителей - около
миллиона

From this point, the main
entrance to the All-Russian
Exhibition, starts the way
towards seventy state and one
hundred and twenty private
pavilions. There were 9700
exhibits and about a million
visitors

Перебирая картинки Нижегородской ярмарки, хотелось бы напомнить еще одну, — связанную с охраной порядка в этой многотысячной людской толчее.

В помощь местной полиции и гарнизонным инвалидам к открытию торговли прибывали из Оренбурга отряды уральских казаков. Летописец «всероссийского торжища», сын П.И.Мельникова-Печерского — Андрей Мельников, художник и краевед, вспоминает, что казаки «постоянно, по разным случаям придирались к проезжающим и проходящим и брали с них деньги. Между тем они пользовались постоянным покровительством губернатора. По мосту, соединяющему город с ярмаркой, была запрещена скорая

Сцена у ярмарочного моста.
*С рисунка В.Рыбинского,
1857*

A scene near the Fair bridge.
Drawing by V.Rybinsky, 1857

езда. Это запрещение подавало повод расставленным на мосту казакам останавливать некоторых проезжающих за мнимую скорую езду и отпускать их только за деньги...

...Вообще казаки вели себя на ярмарке, как в каком-нибудь завоеванном городе. По ярмарке, особенно под вечер, нередко раздавались крики: караул! Казаки тотчас скакали на место происшествия и, как говорят, насколько верно, нередко сами помогали грабить, за что с ними делились грабители, или же, наскакав, отделывали нагайками и грабителей и ограбленных, а затем и с тех, и с других брали выкуп».

С берегов Урала казацкое воинство выступало «в поход на Нижний Новгород» по ранней весне. Шли, как в военную пору, форсируя реки, почуя в поле. Весь путь продолжался почти полгода в оба конца. Возвратившись по осени в родные станицы, казаки зимовали и снова «шли на Нижний».

Самокатная площадь на Нижегородской ярмарке.
*С рисунка В.Рыбинского,
1857*

The Push-Cycle Square in the Nizhny Novgorod Fair.
Drawing by V.Rybinsky, 1857

В начале XX века в Нижнем было четыре пристани: Сибирская - для прибытия и отправки всех наиболее ценных грузов, она обслуживала ярмарку; Гребневская - для железа и рыбы; Бурнаковская - для нефтяных грузов; Молитовская - для леных грузов и соли

На Всероссийской торгово-промышленной и художественной выставке 1896 года в Нижнем Новгороде сказку делали былью

Fairytales were transformed into real things in the 1896 Ali-Russian trade-industrial and artistic exhibition in Nizhny Novgorod

Губернатор Баранов:
«Ярмарка Нижегородская есть торговый центр первой важности, имеющий свойство не тех бирж, на которых идет лишь задорная игра дутыми бумажными сделками, игра, усиливающая лишь судорожные корчи нашего курса, а биржи деловой, орудующей живым делом русской торговли и промышленности»

Неистощимой кажется фантазия создателей и устроителей выставки

The fantasy of creators and organizers of the exhibition seemed inexhaustible

Архитектурные излишества нисколько не смущали наших предков, старавшихся все делать с размахом и выдумкой

Architectural excesses did not confuse our ancestors at all, they tried to do everithing lavishly and imaginatively

Гости строго делились на категории: были хорошие и плохие, тароватые и «шаромыжники». Любой посетитель опытными официантами определялся и оценивался с первого взгляда. Человек модно одетый, потребовавший сразу по приходе бутылку шампанского, дорогой закуски и сигар, котировался среди них весьма низко. Такой посетитель, израсходовав четвертную, сидел потом целый вечер, обозревая длинную программу эстрады. Другое дело, если за столик усаживалась компания людей, одетых беспретенциозно. На вопрос официанта: «Что изволите заказать?», они вяло отвечали: «Дай-ка по стаканчику чая с лимоном»... Лакей оживлялся - это были «настоящие гости», им нужно «осмотреться». Через полчаса требовался графинчик, через час компания переходила в отдельный кабинет, где начинался дым коромыслом.
Д.Н. Смирнов

Лишь с развитием волжского пароходства, где-то с конца 1850-х годов, уральцы начали ходить боевым уставом только до Самары, где их вместе с конями грузили на барки, которые буксиром волокли вверх по течению до места летней службы.

На нижегородской земле добрососедствовали собиравшиеся во имя общих коммерческих интересов христиане и мусульмане, иудеи и буддисты. Среди хозяйственных построек, лавок, торговых рядов многоголосой ярмарки возвышались армянская церковь, виднелся полумесяц татарской мечети. А за рекой, в нагорной части, на главной улице города, Большой Покровке, находилась лютеранская кирка, украшенная изящным портиком.В том же районе, на Грузинской улице, в конце прошлого века была возведена синагога.

Для православных на ярмарочной территории, кроме Спасского собора и часовни, в 1881 году по проекту губернского архитектора Р.Я.Килевейна при участии Л.В.Даля, сына известного писателя, был построен собор Александра Невского. Это монументальное сооружение, возведенное на самом острие Стрелки, как бы осеняет собою слияние двух великих рек Европейской России — Оки и Волги.

В тридцатые годы оба ярмарочных собора были обезображены, использовались под различные склады. Ныне они возрождены. Собор Александра Невского очень выразительно высится над Стрелкой, вновь вознося идею своих создателей — нести благословение плесам двух славных рек и земле знаменитого торга.

Православное духовенство и сторонники старой веры равно жаловали

Экспонаты Всероссийской выставки 1896 года свидетельствовали о больших потенциальных возможностях России

Exhibits of the 1896 All-Russian Exhibition testified to the fact that economically developing Russia possessed a great potential

вниманием своим ярмарочные дни. Если солидные купцы, прежде чем ехать сами, высылали вперед разбитных приказчиков, то матери-игуменьи загодя отправляли своих «эмиссаров» из числа надежных стариц. Тянулись сюда по сугубо мирским делам скитницы из чернораменских и керженских лесов.

Знаток раскола Павел Иванович Мельников-Печерский так повествует об этом: «Монахини имеют обыкновение ходить непременно в сопровождении хорошенькой послушницы, подаяние на обитель отчего бывает щедрее.

Колокольный ряд дарил заутренние и вечерние звоны градам и весям России

The bell row made gifts to cities and villages of Russia with its matins' and vespers' chime

Собрав деньги, наслушавшись вестей о состоянии раскольничьих общин в разных краях России, монахини принимаются закупать годовую провизию на свои обители: свечи, мыло, ладан для богослужения, чай, сахар, вина, разные сладости и закуски для угощения приезжающих к ним почтеных гостей или чиновников земской полиции. Если на Семеновской дороге попадется два или три воза, нагруженные всякой всячиной, а с ними рогожная кибитка, в которой на жирных лошадях, шагом едут две толстые женщины с завязанными ртами, одетые во все черное, то всякий встречный крестьянин-раскольник сворачивает с дороги, снимает шапку и просит «прощения и благословления», зная, что это «матери с ярмарки едут».

Ярмарка славилась на все отечество своим колокольным торгом. В экспозиции Нижегородского художественного музея есть полотно А.П.Боголюбова, написанное в 1862 году, — «Колокольный ряд на Нижегородской ярмарке». К слову сказать, в том же году в Петербурге вышел едва ли не первый путеводитель по Волге — «Волга от Твери до Астрахани», составленный Н.П.Боголюбовым для известного впоследствии пароходного общества «Самолет». Брат автора, академик живописи А.П.Боголюбов сопроводил это издание многочисленными рисунками.

1862 год был особым в истории Нижнего Новгорода: 1 августа, в разгар ярмарочных дней, открылось железнодорожное сообщение между первопрестольной Москвой и торговой столицей на берегу Волги. Все технические новинки «торопились» на ярмарку: Нижний был связан с крупнейшими центрами страны телеграфом.

Как уже отмечалось, ярмарка поднимала свои праздничные флаги 15 июля. А 25 июля нижегородцы праздновали день памяти своего земляка — святого Макария Желтоводского и Унженского.

Автор «самолетского» путеводителя, говоря о периоде ярмарки до 10 августа, отмечает: «К этому дню торговля уже начинается, по все еще не в

В ярмарочном цирке директор Аким Никитин, во фраке, с медалями, выводил дрессированных жеребцов. Выбегал рыжий клоун Ричард Рибо. Дурова я не помню, хотя он часто появлялся в Нижнем и в холерный год разъезжал по ярмарке на свинье, для ободрения публики. Об этом просил знаменитого клоуна сам Баранов. В июле 1894 г. встретил я на ярмарочном плашкоутном мосту троих студентов под конвоем городовых. После молебна с водосвятием на ярмарке под Главным домом они выкупали в святой воде собаку, и губернатор приказал их за это арестовать.

Б.К. Садовской

Из разных уездов приезжали в Нижний Новгород в известное время года торговцы вареными раками. Выкрик их был напевного характера: - Раки-рачицы из проточной водицы! Раки, раки, раки! Кру-у-уп-ные раки! Варе-е-еные раки! Рачиц с икрой наберем! Раки, кому раки, кому рыба надоелась и говядина приелась? Раки, раки, раки! <...>Продавцы «кислых щей» приставали: - Кислых щей - в утробу влей. Заплати копейку, садись на линейку и на отцовом катере поезжай к матери!
Иванов

больших размерах… Идет только розничная продажа, но и в той легко усмотреть перешительность. Такое состояние торговли состоит в прямой зависимости от продажи чая: действительно, пока чай не продан, все идет как-то вяло, все ждут ч а й н о й р а з в я з к и, — но как только его продадут и торгующие с Кяхтою получат деньги, начинают покупать товары для будущих оборотов с Сибирью и Китаем, уплачивают долги суконным и хлопчатобумажным фабрикантам, — деньги развеются по ярмарке, цены на товары устанавливаются, и деятельность ярмарочная кипит во всем разгаре.

Это случается между 25 июля и 10 августа…»

Н.П.Боголюбов рассказывает о характере деловых отношений в этом кипящем «российском Вавилоне», где в лучшую пору, по его словам, бывает от 150 до 200 тысяч людей. При этом заметим, что само постоянное население Нижнего в начале 1860-х годов насчитывало… около сорока тысяч человек.

Примерно в те же годы известный поэт Николай Федорович Щербина написал едкую «Эпитафию русскому купцу»:

С увесистой супружницей своей
Он в бане парился и объедался сыто…
О сколько им обмануто людей
И сколько чаю перепито!

Современник знал, о чем пишет.

Н.П.Боголюбов свидетельствует: «Существующий биржевой зал всегда пуст и его заменяют трактиры: Бубнова, Смирнова, Барбатенки, Вареникова, Горинова и множество других… Тут за чашкою чая, который, благодаря изобилию, истребляется немилосердно, либо за порцией стерлядки или соляики, устанавливаются цены товарам на целый год и совершаются все

важнейшие торговые дела, облекаемые такой таинственностью, что насколько трудно определить настоящую ценность привезенных на ярмарку товаров, настолько же трудно пуститься в торговлю тому, кто желает ее вести на привольных началах; от этого вы не встретите здесь ни иностранных купцов, ни агентов благоустроенных контор наших столиц и других портовых городов. Зато русские купцы стекаются сюда из самых отдаленных концов нашего государства. Если вам встретится иностранец, то это либо мелочный торговец галантерейной лавки, либо комедиант».

Автор первой книги по истории Нижнего Новгорода, изданной в 1857 и 1859 годах в двух томах, Николай Иванович Храмцовский отмечает: «Кяхтинская торговля есть главный двигатель Нижегородской ярмарки.

Кяхтинская торговля состоит из продажи чаев байховых (черного, цветочного, зеленого) и кирпичного, небольшой части материй (канфы, канчи, крепа), туши, соковых красителей, фарфора…

Чаи выменяваются в Кяхте: оттуда до Перми их доставляют сухопутно, а из Перми до Нижнего — водою, большей частью пароходами Камско-Волжского пароходства и пермского купца Любимова…

На ярмарке небольшая часть чаев помещается в Китайских рядах, но главные массы его остаются на Сибирской пристани: там цибики с чаем, укладенные штабелями, занимают большое пространство по обеим сторонам дороги, пролегающей через пристань. Там же продаются в балаганах у живущих в них приказчиков главных чайных торговцев».

Ярмарка служила не только торговле. Всероссийский ежегодный съезд всех сословий и всех народов империи привлекал литераторов, художников, артистов. Успех в ярмарочных театрах закладывал начало всероссийской славы, известность в разных уголках страны. Здесь молва начинала полет!

Надо вспомнить, что именно ярмарка в Нижнем Новгороде стала местом одной из первых художественных выставок в нестоличных городах. Так, в

«Веселой козой» называли нижегородский герб: красный олень с закинутыми за спину рогами и как-то весело приподнятой передней ногой. Местные живописцы рисовали оленя по-разному, и везде он вызывал улыбку у зрителя: - Ве-е-селая коза! Для купеческого загула здесь существовали по трактирам закабаленные содержательницами хоров певички и были шикарные публичные дома, в которые то и дело привозили новых и новых рабынь торговцы живым товаром, а отбросы из этих домов шли на «Самокаты». «Самокаты» - это гнезда такого разврата, какой едва ли мог существовать когда-нибудь и где-нибудь, кроме нижегородской ярмарки. И место для них было выбрано самое подходящее, отделенное от ярмарки двумя глубокими каналами. Один впадал в Мещерское озеро, к берегу которого примыкали «Самокаты», а другой граничил с банным пустырем. *В.А. Гиляровский*

Волжские пристани жили торговыми заботами...

The Volga wharfs were always preoccupied with their trade problems...

1865 году «Санкт-Петербургское собрание художников» выставило в Главном доме прекрасную коллекцию. Нижегородцы, приезжий люд из провинции впервые увидели картины Левицкого, Брюллова, Ге, Чистякова, Кошелева.

Конечно, в первую очередь мир ярмарки волновал писателей «этнографического» плана. Ее гостями в разные годы бывали: А.Н.Островский,

П.И.Якушкин, Г.И.Успенский, А.А.Потехин, С.В.Максимов, В.В.Крестовский. Этот список длинен и его можно долго продолжать и уточнять.

Наверное, страшно было бы, если б в среде «летописцев ярмарки» мы не нашли имени такого знатока российского быта от трущоб до императорской сцены, как Владимир Гиляровский! Его небольшой рассказ «Под Веселой козой» по обилию деталей подобен «карманной энциклопедии» темных сторон жизни ярмарки.

Для простого народа «ярмашка» была начальной школой искусства. Здесь офени продавали лубочные картинки и дешевые книги «для народа».

Здесь пели владимирские рожки и украинские бандуры, звучали скрипки и хоры молдаванских цыган, лилась напевная, медлительная река северных русских сказаний, взрывались надрывно и горько голоса крестьянок-плакальщиц.

Никому и никогда не ведомые российские Нико Пиросмани, канувшие в Лету, расписывали вывески трактиров и мелочных лавок. Какие, наверное, неповторимые дарования сгорали в бурлящем водовороте ярмарки!

Каждые летние торги представляли обширные иконные ряды, где собирались мастера многих местных школ. Имена, которые так же остались неузнанными в грядущем.

Оброненные в здешнем застолье песни, полюбившись, становились народными, улетая в Полесье или за священный Байкал. Ярмарка сама рождала в своих закоулках «местный фольклор»: куплеты, байки, анекдоты, позднее — частушки на злободневные темы.

Необходимость постоянной информации на празднике купечества и предпринимательства вызвала к жизни специальную газету — «Нижегород-

Александро-Невская улица
и Кунавинская слобода

Aleksandr Nevsky street and
Kanavino settlement

ский ярмарочный справочный листок». Его редактировал талантливый литератор, историк волжского края Александр Серафимович Гацискский.

В балаганах ставили лубочные представления, вроде «Взятия Шамиля», а по соседству, на сцене Большого ярмарочного театра, пели лучшие артисты столичных императорских опер.

За то, что нам известны картины ярмарки, ее типажи, весь самобытный облик, мы должны быть благодарны двум нижегородцам, двум великим русским фотографам — Андрею Карелину и Максиму Дмитриеву. Не будь их работ, мы бы смутно представляли образ старой ярмарки. Ныне почти неизвестный нижегородский издатель Н.М.Виноградов вместе с этими фотохудожниками оставил нам в наследие альбомы с видами ушедшего Нижнего и угасшей давней ярмарки.

Купечество Нижнего ревниво заботилось и усердно пеклось о своей столице на Волге, о строительстве и в городе и на ярмарке. Оно с блеском осуществило в родном граде Всероссийскую торгово-промышленную и художественную выставку 1896 года. Впервые такое грандиозное событие в жизни страны проводилось в нестоличном городе. Улицы его озарились дуговыми электрическими фонарями, через Оку пролег новый понтонный мост, заработали подъемники в нагорную часть города, открылся новый театр. Ярмарка прихорашивалась, вступая в XX век.

В 1890 году по проекту А.И. фон Гогена, Г.А.Трамбицкого и К.В.Треймана был построен новый Главный ярмарочный дом, который, спустя десятилетия, ныне вновь служит идеям Нижегородской ярмарки.

Российское купечество председателями своих ярмарочного и биржевого комитетов всегда выбирало людей высокообразованных, снискавших всеобщее доверие и уважение. Так, в 1864-1875 годах ярмарку возглавлял А.П.Шипов. Восторженный журналист писал в ту пору: «Г-н Шипов более чем великий человек на ярмарке. Он может по справедливости перефразировать слова великого монарха и сказать: «Ярмарка — это я!»

А в 1891-1897 годах, в пору подготовки и проведения знаменитой Всероссийской торгово-промышленной и художественной выставки, которая показала рост могущества державы, пост председателя ярмарочного комитета занял молодой и предприимчивый, очень популярный среди торговых кругов Савва Тимофеевич Морозов.

Ярмарочное купечество умело показать свои «интернациональные» чувства к коллегам-предпринимателям, выразить заботу и подлинное гостеприимство.

Известный москвичам в дореволюционное время директор шантана Шарль Омон еще до своего появления в Москве открыл свое «заведение» на ярмарке. Ловкий, оборотистый француз быстро ориентировался и развернул «первоклассный» европейский шантан. «Дивы», «этуали» и «звезды» Парижа, Берлина, Вены, Бухареста и Варшавы, прослоенные «российскими дизезами», пели и плясали перед пьяной публикой, восседавшей перед эстрадой за столиками. <...>... До утра продолжались оргии в этом вертепе. О том, что творилось в его стенах, знала лишь полиция, но она не выдавала «тайны гарема», опоенная, закормленная и «окредитованная» Шарлем Омоном. Я был случайным свидетелем того, как пьяный купчик намазал свою ладонь горчицей и затем залепил ею в физиономию официанта. На протесты окружающих купчик орал: «Плачу за бесчестье!» Устроит в общественном месте какой-нибудь именитый купчина сокрушительный скандал с мордобоем, который завершится полицейским протоколом; но это не страшно.... Наутро сидит себе покойненько он в своей конторе и попивает с похмелья огуречный рассол. Все по-хорошему. Вдруг открывается дверь и входит молодой человек: - В нашей газете фельетончик на вашу милость заготовлен. Все ваши вчерашние поступки описаны. В завтрашнем номере выйдет. Не угодно ли прочесть? - И выложит на стол уже отпечатанный фельетон. <...>... Прочтет и вымолвит лишь одно слово: - Сколько? Знает, что тут двумя кредитками не отделаешься, - это тебе не околоточный, а как-никак ярмарочная пресса. И платит, чтобы огласки и сраму не было, платит уже тысячи и без всякой расписки.
Н.И. Собольщиков-Самарин

«Нестор ярмарки» — Андрей Мельников повествует: «В 1890 году в первый раз прибыли на ярмарку афганские купцы после только завязавшихся торговых отношений с Афганистаном. Закупив товару на крупную сумму, они погрузили его на баржу у Сибирской пристани, но еще не успели застраховать, как над ярмаркой разразилась страшная гроза. Молния ударила в баржу с погруженным афганским товаром, и товар вместе с баржею погиб в пламени.

Баранов принял в них участие: он сумел повлиять на ярмарочное купечество, выставив доводы, что такое прискорбное начало торговых отношений с Афганистаном может отнять у России крупный рынок сбыта».

Русские купцы тотчас на ярмарке собрали для афганцев и выдали им как полную компенсацию товаров на те же 250000 рублей. Это был дружеский шаг во имя грядущего развития торговли с Афганистаном. Поступок получил всеобщую огласку в мире, особенно в странах Востока. Афганские купцы год спустя вновь прибыли в Нижний Новгород и, явившись к губернатору, отдали ему сумму в 1500 рублей, якобы переданную сверх стоимости русскими купцами после гибели баржи с товаром. Нижегородские газеты сообщили об этом и поведали читателям, что неожиданный «остаток» губернатор Баранов отдал на нужды нижегородского речного училища.

Проходили годы. Случались несчастья, тогда торжище несколько затихало. Так было в пору эпидемии холеры в начале 1890-х годов.

Двадцатый век принес в Россию свой мятежный ветер. Промышленный

Торговые ряды вдоль окского берега

Trade rows along the Oka river bank

В ожидании найма на работу

Awaiting hiring for work

Люд волжских пристаней

The petty towns-folk of the Volga wharfs

Нижний становится одним из центров революционных выступлений. А летом 1905 года ярмарка впервые как бы приостановилась.

«Ярмарка в день открытия пустовала. Благодаря забастовкам в течение года на фабриках и заводах оказалось значительное недопроизводство. Многие решили не выезжать на ярмарку. Такого позднего приезда, как в 1905 году, давно не было... Приезд начался в последних числах июля, все торопились скорее закончить дела и уехать, настроение немного напоминало холерные годы. Ходили разные слухи... В последних числах июля на ярмарке произошел переполох: какой-то простолюдин бежал по Театральной улице

С волжских верховий множество плотов шло навстречу ярмарочным флагам

A lot of rafts floated from the Upper Volga towards the Fair flags

мимо лавок и кричал: «Закрывайте скорее: сейчас «забастовка» будет». Торговцы начали спешно запирать магазины, среди уличной толпы произошла паника, все бросились бежать. Паника вскоре охватила всю ярмарку...»

После первой русской революции начался подъем промышленности и торговли, который отразился и в оживлении деятельности Нижегородской ярмарки.

Но грянул 1914 год. Война с Германией началась, когда жизнь всероссийского торжища была в самом разгаре. Ярмарка быстро стихла.

1917 год был для торговой России особенным. Несмотря на войну, купечество собиралось отметить 100-летний юбилей любимого детища. Именно в том году вышел первый том работы А.П. Мельникова «Столетие Нижегородской ярмарки».

Первый том был посвящен историко-бытовой жизни торговых съездов России. Второй, в котором предполагалось рассмотрение экономических вопросов, не вышел в свет: произошел Октябрьский переворот. Вспыхнуло пламя Гражданской войны, пушки которой гремели у самых границ Нижегородской губернии. За годы внутригосударственной смуты все хозяйство и постройки на территории торга пришли в запустение. Казалось, и речи не может быть о возрождении этого праздника среди царящего в стране голода и террора.

Суета и шум стихали на окраинах ярмарки

Fuss and noise calmed down in the outskirts of the Fair

Но все же судьба робко, словно краткий луч света в грозовом небе, еще раз улыбнулась этим заброшенным торговым пристаням. После решения большевиков перейти к новой экономической политике родилась и здравая идея о возрождении в Нижнем традиционной ярмарки.

Страна нуждалась в таком оживляющем торговло центре. Едва очнувшись от разрухи и забвения, ярмарочная деятельность уже в 1922 году имела оборот в 31 миллион, а через год — 209 миллионов рублей.

Совет труда и обороны создает комиссию, задача которой — быстрое и эффективное возрождение ярмарки. Своим уполномоченным СТО назначает С.В.Малышева, который до этого проводил работу по восстановлению ярмарки в Ирбите.

Новая ярмарка переняла у старой интерес ко всем новинкам промышленности и транспорта. С Нижегородской ярмаркой связано историческое событие, поизошедшее в феврале 1923 года. В тот далекий зимний день на заснеженном пустыре возле Староярмарочного собора совершил посадку самолет марки «Юнкерс», который прилетел из Москвы. Небольшую пассажирскую машину пилотировал летчик Яков Николаевич Моисеев. Этот зимний пробный рейс стал первой трассой нашей гражданской авиации, будущего «Аэрофлота». Летом ярмарочные рейсы сделались более-менее регулярными.

Знаменитый цирк Никитиных привлекал к себе гостей ярмарки

The famous Nikitins' circus attracted the guests of the Fair

Каждую весну территория
ярмарки превращалась на
время половодья
в «нижегородскую Венецию»

Each spring during flood-time
the Fair territory turned into
«Venice of Nizhny Novgorod»

Нижегородская ярмарка, начинавшаяся с телег и вьючных караванов, парусных расшив и бурлаков, приняла первые пароходы и паровозы, а перед своей кончиной, в двадцатые годы, впервые опробовала крылья! Бог Меркурий, бог торговли, воистину становился крылатым!

Ярмарка, действительно, год от года начала обретать крылья.

Так казалось многим.

Но настал «год великого перелома». Коллективизация положила на стол перед крестьянином револьвер комиссара Нагульнова...

Начиналась первая пятилетка.

16 марта 1930 года было опубликовано постановление об упразднении Нижегородской и Бакинской ярмарок.

Гордость Нижнего — ярмарка становилась легендой. На ее месте, особенно в 1950 -1970-е годы, встали кварталы типовых домов. Лишь кое-где оставались порушенные стены старых складов с надписями компаний, именами владельцев. Правда, время сохранило два собора и здание Главного дома...

В последние годы слава Нижегородской ярмарки благодаря ее обширной выставочной работе начинает пробуждаться. Пусть не так широко, как

Над майской водой
Спасский собор всплывал
белым сиянием

Over the waters in May the
Spassky Cathedral was slowing
with its whiteness

прежде, разливается здесь людское море, пусть многое еще в планах, но ветра Оки и Волги вновь колышут ярмарочные флаги.

Россия ищет пути к возрождению. И слава новой Нижегородской ярмарки — одна из ступеней на этом нелегком подъеме.

Константин Коровин

Из воспоминаний

На открытие Всероссийской выставки в Нижний Новгород приехало из Петербурга много знати, министры — Витте и другие, деятели финансов и промышленных отделов, вице-президент Академии художеств граф И.И.Толстой, профессора Академии.

На территории выставки митрополитом был отслужен большой молебен. Было много народу - купцов, фабрикантов (по приглашению).

Когда молебен кончился, Мамонтов, Витте в мундире, в орденах, и многие с ним, тоже в мундирах и орденах, направились в павильон Крайнего Севера.

Мы с Шаляпиным стояли у входа в павильон.

— Вот это он делал, — сказал Мамонтов, показав на меня Витте, а также представил и Шаляпина.

Когда я объяснял экспонаты Витте, то увидел в лице его усталость. Он сказал мне:

— Я был на Мурмане. Его мало кто знает. Богатый край.

Окружающие его беспрестанно спрашивали меня то или другое про экспонаты и удивлялись. Я подумал: "Странно, они ничего не знают об огромной области России, малую часть которой мне удалось представить".

— Идите с Коровиным ко мне, — сказал, уходя, Мамонтов Шаляпину. — Вы ведь сегодня поете. Я скоро приеду.

Выйдя за ограду выставки, мы с Шаляпиным сели на извозчика. Дорогой он, смеясь, говорил:

— Эх, хорошо! Смотрите, улица-то вся из трактиров! Люблю я трактиры!

Правда, веселая была улица. Деревянные дома в разноцветных вывесках, во флагах. Пестрая толпа народа. Ломовые, везущие мешки с овсом, хлебом. Товары. Блестящие сбруи лошадей, разносчики с рыбой, баранками, пряниками. Пестрые, цветные платки женщин. А вдали — Волга. И за ней, громоздясь в гору, город Нижний Новгород. Горят купола церквей. На Волге — пароходы, барки... Какая бодрость и сила!

— Стой! — крикнул вдруг Шаляпин извозчику. Он позвал разносчика. Тот подошел к нам и поднял с лотка ватную покрышку. Там лежали горячие пирожки.

— Вот попробуй-ка, — сказал мне на "ты" Шаляпин. — У нас в Казани такие же.

Пироги были с рыбой и визигой. Шаляпин их ел один за другим.

— У нас-то, брат, на Волге жрать умеют! У бурлаков я ел стерляжью уху в два навара. Ты не ел?

— Нет, не ел, — ответил я.

— Так вот, Витте, и все, которые с ним, в орденах, лентах, такой, брат, ухи не едали! Хорошо здесь. Зайдем в трактир — съедим уху. А потом я спать поеду. Ведь я сегодня «Жизнь за царя» пою.

В трактире мы сели за стол у окна.

— Посмотри на мою Волгу, — говорил Шаляпин, показывая в окно. — Люблю Волгу. Народ другой на Волге. Не сквалыжники. Везде как-то жизнь для денег, а на Волге деньги для жизни.

Было явно: этому высокому размашистому юноше радостно — есть уху с калачом и вольно сидеть в трактире...

Там я его и оставил...

* * *

Когда я приехал к Мамонтову, тот обеспокоился, что Шаляпина нет со мной.

— Знаете, ведь он сегодня поет! Театр будет полон... Поедем к нему.

Однако в гостинице, где жил Шаляпин, мы его не застали. Нам сказали, что он поехал с барышнями кататься по Волге.

В театре, за кулисами, я увидел Труффи. Он был во фраке, завит. В зрительный зал уже собиралась публика, но Шаляпина на сцене не было. Мамонтов и Труффи волновались.

И вдруг Шаляпин появился. Он живо разделся в уборной донага и стал надевать на себя ватные толщинки. Быстро одеваясь и гримируясь, Шаляпин говорил, смеясь, Труффи:

— Вы, маэстро, не забудьте, пожалуйста, мои эффектные фермато.

Потом, положив ему руку на плечо, сказал серьезно:

— Труффочка, помнишь, — там не четыре, а пять. Помни паузу. — И острыми глазами Шаляпин строго посмотрел на дирижера.

Публика наполнила театр.

Труффи сел за пульт. Раздавались нетерпеливые хлопки публики. Началась увертюра.

После арии Сусанина «Чуют правду» публика была ошеломлена. Шаляпина вызывали без конца.

И я видел, как Ковалевский, со слезами на глазах, говорил Мамонтову:

— Кто этот Шаляпин? Я никогда не слыхал такого певца!

К Мамонтову в ложу пришли Витте и другие и выражали свой восторг. Мамонтов привел Шаляпина со сцены в ложу. Все удивлялись его молодости.

За ужином, после спектакля, на котором собрались артисты и друзья, Шаляпин сидел, окруженный артистками, и там шел несмолкаемый хохот. После ужина Шаляпин поехал с ними кататься по Волге.

— Эта такая особенная человека! — говорил Труффи. — Но такой таланта я вижу в первый раз.

КУПЕЧЕСТВО

В традициях нижегородского купечества было: «Прибыль превыше всего, но честь превыше прибыли». У этих традиций глубокие корни. Издревле велось меж лучшими предприимчивыми людьми исполнять четыре главные заповеди: первая — добро наживать путями праведными, вторая — добытое употреблять с разумом, третья — не жалеть доли для тех, кто в нужде, четвертая — попусту не искушать судьбу. Задолго до знаменитого «Домостроя» русские торговцы ставили на первое место нравственность и без молитвы никакие серьезные дела не затевали. Так и шло веками.

В XVI ли, в XVII ли веке, не говоря уж о столетиях более ранних, по всей Руси славились купеческие имена, и среди них нижегородские. А и как было не прославиться нижегородцам? Мимо их домов проходил один из самых древних торговых путей — сама голубая Волга. И не от нижегородских ли причалов напоследок отчалил когда-то с кладью да припасами знаменитейший из знаменитых купцов тверяк Афанасий Никитин, направляясь в сказочную Индию? Да и нижегородские торговые люди во все стороны света хаживали. И в запредельную Мангазею, пожалуй, не единожды дорожку торили.

Товар, бывало, теряли, а честь — никогда. И не родовитость купца поднимала — благодетельность. Всякий знал, что добрый торговец никогда совестью не поступится: правда — кус купленный, а неправда — краденый. Если кто нечист на руку — позора не избежит, суда мирского не минует, а где позор — там разор.

Недаром на торгового человека Кузьму Минина, поднявшего люд честной на освобождение России от иноземного ворога да от своих изменников, целые поколения стали равняться как на нравственный образец.

В «Писцовых книгах» называются среди посадских жителей Нижнего Новгорода «лучшие люди», что по Волге «на низ и верх ходят судами и которые промышляют всякими товарами помногу». Хорошо известен был купец гостиной сотни Семен Задорин, занятый торговлей солью и рыбой.

Знали в Нижнем именитых Строгановых, что берег Оки уставляли соляными амбарами.

Предприимчивость и даровитость создавали славу нижегородским купцам Олисовым, Болотовым, Пушниковым, Щепетильниковым, Оловянишниковым. Благоприятные условия, а порой, наоборот, самые сложные препятствия сопутствовали продвижению наиболее способных и упорных людей из народа в купеческое сословие, в первые ряды промышленников и финансистов. Особенно много талантов появилось в России в прошлом веке, в пореформенную пору. Один из представителей достославного рода Рябушинских утверждал, что «московское купечество, в сущности, не что иное, как торговые мужики, высший слой русских хозяйственных мужиков». Это верно не только в отношении москвичей, но, пожалуй, почти всего сословия. Самыми крепкими оказывались выходцы из старообрядческих семей, где воспитание было весьма суровым. Они-то и стали костяком и московского, и нижегородского купечества.

Если уж кто выбивался в люди, то зачастую вовсе не по воле случая. А что касается пройдох, самодуров и выжиг из числа купцов, то о них прекрасно сказал тот же помянутый выше Рябушинский: «Верно, были такие люди, и немало, и по именам иных я знаю, а корить не буду. Да к тому же во многих не одно только плохое, а и хорошее было; у кого ум, у кого талант, у кого размах, у кого щедрость. Не буду я ни их, ни родной город срамить и позорить, а буду за тех, кого знаю, Богу молиться».

Основателя самой известной купеческой династии в нижегородских краях Петра Егоровича Бугрова приметил еще Владимир Иванович Даль. Он пришел в восхищение от оборотливости и предприимчивости удельного крестьянина из деревни Попово Семеновского уезда. В очерке о нем писатель сообщает, как честным трудом и умом Петруха-балаласчник добился достатка и превратился из кряжистого бурлака в крупнейшего хлеботорговца, поставив на реке Линде мельницы. Кроме того, Бугров брал на подряд стро-

Панорама Нижнего
со стороны ярмарки

Panorama of Nizhny Novgorod
revealed from the Fair side

Из самых низов выбивались в купеческое сословие люди сметливые, расторопные, предприимчивые

Keen-witted, efficient, enterprising people from the lower classes made their way in the world becoming merchants

ительство казенных зданий и выполнял заказы в кратчайший срок. На Нижегородской ярмарке под его приглядом сооружались мосты через каналы. Никому не удавалось укрепить сползающий в Волгу откос у кремля, пока за это дело не взялся сообразительный подрядчик Бугров. Когда во время Крымской войны нижегородцы собирали из рекрутов ополчение, Бугров снарядил для него обоз. В книге А.В.Седова «Нижегородский подвиг В.И.Даля» (Н.Новгород, 1993) приводится следующий отзыв писателя о Бугрове, включенный Далем в письмо министру уделов: «Ваше сиятельство! Осмеливаюсь представить самого замечательного мужика по всему Нижегородскому имению, Петра Егоровича Бугрова. Это один из тех смышленых

Купцы на ярмарке.
Литография А.Дюрана, 1839

Merchants at the Fair.
Lithography by A.Duran, 1839

Николай Александрович
Бугров считал главным
в человеке трудолюбие:
умеет работать - годен,
не умеет - вон его

Nikolay Aleksandrovitch Bugrov
considered diligence to be the
main trait of a person: those
who could work — fitted, those
who could not — were sacked

Купец-миллионер Н.А.Бугров:
«Ни к какой политической
партии я до настоящего
времени не примыкал, но
желая скорейшего по
возможности успокоения
родной страны и будучи
сторонником развития
правопорядка путем мирного
проведения реформ в духе
и согласно высочайшего
Манифеста 17 октября,
я в силу этого самого не могу
сочувствовать крайним
партиям обоих направлений
и всегда буду противником
насилия и произвола,
безразлично в какой бы
форме и под каким флагом,
красным или белым, они не
проявились».
Нижегородский листок

умов, который от ломового крючника добился до звания первого подрядчика Нижнего».

Внук Петра Егоровича Николай Александрович Бугров сумел по-умному распорядиться нажитыми дедом и отцом миллионными капиталами, преумножив их. Это был уже всесильный хозяин, который держал в руках судьбы множества людей и которого называли некоронованным королем Нижнего Новгорода. Благодаря этому могучему человеку возникали и развивались производства, процветала торговля, шло небывалое строительство. А в керженском затишье, в старообрядческих скитах на него молились как на благодетеля и покровителя.

В описании М.Горького младший Бугров предстает довольно мрачной и греховодной натурой. Даже внешний вид Бугрова производит отталкивающее впечатление.

«Я часто встречал этого человека на торговых улицах города: большой, грузный, в длинном сюртуке, похожем на поддевку, в ярко начищенных сапогах и в суконном картузе, он шел тяжелой походкой, засунув руки в карманы, шел встречу людям, как будто не видя их, а они уступали дорогу ему не только с уважением, но почти со страхом. На его красноватых скулах бессильно разрослась серенькая бородка мордвина, прямые, редкие волосы ее, не скрывая маленьких ушей, с приросшими мочками, и морщин на шее, на щеках, вытягивали тупой подбородок, смешно удлиняя его. Лицо — неясное, незаконченное, в нем нет ни одной черты, которая, резко бросаясь в глаза, навсегда оставалась бы в памяти. Такие неуловимые, как бы нарочито стертые, безглазые лица часто встречаются у людей верхнего и среднего Поволжья — под скучной, неопределенной маской эти люди ловко скрывают свой хитрый ум, здравый смысл и страшную, ничем не объяснимую, жестокость».

Словом, по Горькому, Бугров урод уродом. Да и в нравственном плане не все у него ладно: в Сейме на всех улицах торчали ярко окрашенные домики, которые были построены Бугровым для своих бывших любовниц, выданных замуж за кого-то из рабочих и служащих. И эта сторона жизни миллионера постоянно находится в поле зрения писателя и накладывает свой негативный отпечаток на все остальное, чем была знаменательна жизнь незаурядного крепкого человека.

Однако на известных фотографиях Николай Александрович выглядит умудренным, вдумчивым человеком, с благообразным привлекательным лицом и спокойным сосредоточенным взглядом. А об истинном отношении его к жизни и людям свидетельствует множество добрых дел. Взирая на персонажа своего произведения как бы свысока, «разоблачая» его, М.Горький обнаруживает заданность, искусственность в подходе к неординарной личности в очерке о Бугрове. Но есть там верные, ненадуманные фрагменты.

«Обширные дела свои Бугров вел сам, единолично, таская векселя и разные бумаги в кармане поддевки. Его уговорили завести контору, взять бухгалтера; он снял помещение для конторы, богато и солидно обставил его, пригласил из Москвы бухгалтера, но никаких дел и бумаг конторе не передал, а на предложение бухгалтера составить инвентарь имущества задумчиво сказал, почесывая скулу:

— Это — большое дело! Имущества у меня много, считать его — долго!

Просидев месяца три в пустой конторе без дела, бухгалтер заявил, что не хочет получать деньги даром и просит отпустить его.

— Извини, брат! — сказал Бугров. — Нет у меня времени конторой

Сибирские пристани принимали грузы со всей империи

Siberian wharfs received cargos from the whole Empire

Купеческая столица
создавала свой тип деловых
людей

The merchant capital created
its own type of businessmen

Гостиный двор на Нижнем
базаре

The Gostiny Dvor in the Lower
Bazaar

заниматься, лишняя она обуза мне. У меня контора вся тут. И, усмехаясь, он хлопнул себя ладонью по карману и по лбу».

О том, что Бугров не забывал про совесть, что старался соблюдать выверенный веками кодекс чести и что ему были дороги свои нравственные обязательства, сохранилось и в документах, и в преданиях немало фактов. После пожара в 1853 году, когда сгорел театр на Большой Печерке, дед Николая Александровича сдал в аренду театру свой доходный дом на Благовещенской площади. Шумные представления, где, как полагал младший Бугров, «голые бабы через голых мужиков прыгают», никак не вязались с моральными принципами истового старообрядца, и он обратился в городскую думу с просьбой продать ему дедовский дом. Дума уважила просьбу почтенного предпринимателя. Купив здание, Бугров безвозмездно передал его думе, поставив лишь условие, чтоб «впредь в этом здании никогда не допускалось устройство какого-либо театра или увеселительного заведения». Ныне бугровский фамильный дом — Дворец труда — принадлежит профсоюзам.

Сам Николай Александрович при огромных капиталах довольствовался малым; хмельного не пил и не курил, обычной его едой были щи да каша с черным хлебом, одевался просто — овчинная шуба, сюртук, сапоги...

А были у него десятки пароходов, паровые мельницы, склады, причалы, сотни десятин леса, целые селения. В 1896 году Бугров получил право поставлять хлеб для всей русской армии. Он имел представительства в двадцати крупнейших городах России. Товарищество Бугрова перерабатывало в 1908 году 4600 пудов зерна в сутки.

На бирже, где именитое нижегородское купечество обсуждало сделки,

Процветало купечество -
развивалось судоходство

Rapid growth of trade turnover
contributed to brisk shipping
activity

устраивая в отдельном зале ритуальные чаепития, Бугров неизменно почитался за главного и первейшего. Тут каждый стол прозывался со значением: «страховой», «поставочный», «нефтяной», «стол доверенных», «миллионный». Естественно, по обычаю приходивший в полдень на биржу Бугров садился за «миллионный» стол вместе с самыми богатыми купцами.

И в думе, и на бирже, и на ярмарке, и в коммерческих конторах первое слово было за Бугровым. Он вел свои дела с блеском, умело и споро. Зная себе цену, не ронял достоинства при встречах с царем, а к министру финансов Витте, как и к нижегородскому губернатору Баранову, обращался на «ты».

Но преимущества Бугрова не дают оснований идеализировать его. Всякий человек не без греха. И бесспорным кумиром Бугров мог быть только в кругу деловых людей, да еще разве в старообрядческих скитах, где всем были известны его покровительство и помощь. Однако было немало и язвительных толков, нелепых слухов об удачливом миллионере.

«Мой дед, — зачерпнул своей ложкой очередную порцию дегтя, пролетарский писатель, — сказывал мне, что отец Бугрова «разжился» фабрикацией фальшивых денег, но дед обо всех крупных купцах города говорил как о фальшивомонетчиках, грабителях и убийцах. Это не мешало ему относиться к ним с уважением и даже восторгом. Из его эпических повестей можно было сделать такой вывод: если преступление не удалось — тогда это преступление, достойное кары; если же оно ловко скрыто — это удача, достойная хвалы.

Говорили, что Мельников-Печерский (в) «В лесах» под именем Максима Потапова изобразил отца Бугрова; я так много слышал плохого о людях, что мне было легче верить Мельникову, а не деду. О Николае Бугрове рассказывали, что он вдвое увеличил миллионы отца на самарском голоде начала восьмидесятых годов».

Все же, наверное, есть больше оснований утверждать, что заслужили Бугровы не худую славу, а добрую память. Были у нижегородских купцов в традиции так называемые «подаянные дни», во время которых каждый из толстосумов обязан был оделять нищих, сколько бы их ни пришло к воротам, щедрыми подаяниями. Не хотели добрые предприниматели слышать о себе

«Удельный крестьянин»
А.П. Бугров, миллионер,
обычно входил в кабинет
к своему приятелю
губернатору разутым, держа
сапоги подмышкой, для того,
чтобы, как он говорил, «не
наследить на паркете», в то
время как у него самого
в доме на Нижневолжской
набережной был паркет не
хуже губернаторского.
Д.Н. Смирнов

Ночлежка Бугрова давала приют множеству обездоленных и нищих, только за один 1890 год нашли тут пристанище на ночь и кусок хлеба около 370 тысяч человек

The Bugrov doss-house was a refuge for a great many of unfortunate people and paupers. Thus, during one year of 1890 about 370 thousand people found there a night shelter and a piece of bread

обидной поговорки: «Борода Минина, а совесть глиняна». Старались не только прослыть, но и быть благотворителями. Не скупился на подаяния и Николай Александрович Бугров.

В дни памяти своего достославного предка устраивал он «поминальные столы». Их размещали на площади Городца, уставляя хлебом и жбанами с квасом. Со всех окрестностей сходилась сюда нищая братия, получая дармовое угощение и серебряные гривенники. Это Бугров выстроил знаменитую ночлежку для бездомных, приют для вдов и сирот, не жалел денег для возведения храмов, больниц и школ. До сих пор крепки фундаменты бугровских строений, да и сами его дома еще безотказно служат людям.

Много приобретал Бугров — много и отдавал. Прожив более семидесяти лет (1837-1911), он делами доказал, как может быть деятелен, предприимчив, расчетлив, а вместе с тем великодушен и щедр русский человек.

Когда хоронили Николая Александровича, за гробом шел весь город. Не умолкая, гудели на весенней Волге пароходы, отдавая последнюю почесть хозяину. В газетном некрологе он был назван прежде всего «крупным благотворителем», а затем уже «представителем хлебного дела».

Такой же крепкой натурой, какая была у Бугрова, отличался Михаил Григорьевич Рукавишников. Продолжая стезю отца, что еще в 1817 году

открыл на Нижегородской ярмарке три лавки и стал торговать железом, он сумел придать делу настоящий размах. Трубы его металлургического завода не переставали дымиться над Кунавином. Рукавишников занимался выделкой отменной стали.

В «Ведомостях о состоянии фабрик и заводов по Нижегородской губернии за 1843 год» отмечалось: стали «на оном заводе... выделывается до 50 000 пудов. Всего на сумму 90 500 руб. серебром». Сталь сбывалась на Нижегородскую ярмарку и в Персию.

Мануфактур-советник, первой гильдии купец Михаил Григорьевич Рукавишников становится одним из самых влиятельных лиц в городе. Единственный из нижегородских предпринимателей, он выписывает журнал «Мануфактуры и торговля» и газету «Мануфактурные и горнозаводские известия», перенимая лучший опыт. Дело для него было прежде всего, он не мог выносить расхлябанности и лени, сам себя держал в руках, и к концу жизни его прозвали «железным стариком».

С каждым годом увеличивалось богатство Рукавишникова, и значительную долю его он жертвовал на благотворительность. Большая сумма была выделена им Мариинской женской гимназии, где он состоял членом попечительского совета. Вместе с краеведом Гациским, композитором Балакиревым, художником и фотографом Карелиным входя в «Братство Кирилла и Мефодия», Рукавишников оказывал помощь детям из малоимущих семей. А само братство и было создано как раз для того, чтобы брать на себя расходы по содержанию бедных учеников гимназии, снабжать их одеждой и книгами, вносить деньги на обучение.

«Жертвую и попечительствую» — эти слова могли бы стать девизом всего рода Рукавишниковых. Потомки продолжали благотворительную деятельность «железного старика». Один из его сыновей — Иван Михайлович вместе

«Миллиошка» была оживленным местом

«Millioshka» was a boisterous place

с братьями и сестрами построил в Нижнем знаменитый Дом трудолюбия на Варварке (ныне это старое здание «Нижполиграфа»), ежегодно жертвовал по тысяче рублей в пользу бедных нижегородских невест, не отказывал в помощи земству, заботился о Кулибинском ремесленном училище. Другой из сыновей, — Владимир Михайлович, был славен тем, что содержал на свой счет капеллу мальчиков, некоторые из ее воспитанников стали солистами столичных оперных театров. Благими делами была украшена жизнь Митрофана Михайловича, почтного члена общества «Красного Креста», построившего гимназическое общежитие в Грузинском переулке и хирургическую больницу (ныне это одно из зданий геронтологического центра).

Так и выходит, что о всех нижегородцах порадели Рукавишниковы, оставив зримые материальные свидетельства своей привязанности и любви к городу. Но самый великолепный их дар — это уникальный дворец на Откосе, принадлежавший Сергею Михайловичу и построенный им к весне 1877 года. Есть в красоте, пышности и гармонии этого здания та самая одухотворенность, которую мы находим в творениях лучших зодчих, чьи устремления — не повседневность, а вечность. Это хорошо уловил и передал в проникновенной прозе сын владельца роскошного дворца писатель Иван Сергеевич Рукавишников.

«Рано по весне свалили леса, оплетавшие дворец. И могучий, грузно-стройный предстал он весенне разлившейся Волге-реке... Строили его, чтоб на много-много лет в городе не было дома, тому равного. Ни у кого ни дерзости, ни капиталу не хватит... Все в том дворце без обмана. Где мрамор видишь, то мрамор тот настоящий и в вершок толщиною, не как теперь на заграничный манер пилят, словно картонные листы. Колонну каменную глаз видит, верь, рукой не пробуй, — не зазвенит, не пустая. И в капитель колонны тоже верь: бронза, не картон золоченый. И в бронзе той меди и

Склады пароходной компании «Надежда» на сибирских пристанях

Warehouses of the steamer company «Nadezhda» on the Siberien wharfs

олова сколько в старых списках сказано. И если через сто лет в городе том будет война, и ударит чугунное ядро вон в ту стройную арку, и отшибет ядро ухмыляющуюся рожу старика-сатира, ничей глаз не увидит на том месте ни гнилых балок, ни ржавых костылей. А увидит правильную циркульную кладку, и ранее искрошится в меру прокаленный кирпич, чем сдаст прослойка верного цемента...».

О прочности искусного творения писал Иван Сергеевич, в то же время обнаруживая изъяны замкнуто коснеющего купеческого быта, от которого он отрешился и с которым порвал, бросив, как перчатку, укор своему прошлому в романе «Проклятый род». Бог ему судья. Но нельзя этот поступок, порожденный отрицанием, не связать с другим, подсказанным высоким настроем души и, конечно же, соответствующим семейной традиции делать благо. Вместе со своим братом Митрофаном Сергеевичем Иван Сергеевич после сокрушительного семнадцатого года принялся за создание в фамильном особняке народного музея. Более семидесяти произведений искусства, в основном живописных полотен, еще до революции передали в дар городу Рукавишниковы, не пожалев своих коллекций. Эти работы и стали основой музея.

Казалось, погибала Россия в огне гражданской войны, рушились храмы, горели библиотеки — и ничего нельзя было спасти. Но все же находились люди, которые знали: сохранить духовные богатства — значит сохранить родину. И среди этих самоотверженных людей оказались одними из самых деятельных потомки старого купеческого рода, что выдвинулся из балахнинских низов. Кстати будет сказать, что сын Митрофана Сергеевича Иулиан и внук Александр — ныне известные скульпторы, в 1987 году в нашем городе был сооружен памятник славному русскому летчику Петру Николаевичу Нестерову работы отца и сына Рукавишниковых.

Митрофан Михайлович Рукавишников прославился благотворительными делами, как и весь его род

Mitrofan Mikhailovitch Rukavishnikov as well as all his family was famous for his charity

Однако, говоря о достоинствах нижегородского купечества, было бы неверным сбрасывать со счетов упаднические настроения и обличительные ноты, которые обнаруживаются в романе «Проклятый род». Этому, несомненно, были веские причины. Далеко не все в реальности вызывало светлые эмоции. Деловые люди и сами признавали за собой существенные несовершенства. Выступая на состоявшемся в Нижнем в 1896 году Всероссийском торгово-промышленном съезде, Савва Тимофеевич Морозов сказал начистоту: «Милостивые государи! В одном я твердо убежден: торгово-промышленное сословие на Руси сильно не только мошной своей, но и сметкой. Не только капиталами, но и умами... Одна беда — культуры мало! Не выработало еще наше сословие сознания общественного достоинства, сословной солидарности. Все еще по Островскому живем...»

Весьма показательна судьба шалого волжского «короля» Гордея Ивановича Чернова, прототипа горьковского Фомы Гордеева. Он первым начал строить на Волге самые вместительные баржи, приспособленные для перевозки нефти, и пароходы-гиганты. Став за короткий срок миллионером, удачливый предприниматель почувствовал себя полным хозяином на великой реке и стал позволять себе все, чего душа просила. А она просила выхода буйным силам, в дикости своей не зная удержу. И запил Гордей Иванович вглухую. Скандалами и драками Чернов прославился на весь Нижний. Не раз

От волжских пристаней переулки вели к складам и погребам

Numerous alley connected the wharts with warehouses and cellars

И товар купить, и в театр
сходить

One could buy some goods
and go to the theatre

его подвергали аресту, но, выйдя из полицейского участка, он принимался за старое.

Один из своих пароходов Чернов велел покрасить в огненный цвет и написать на бортах «Черт». Так и проплавало это судно с новым названием и в новом виде целую навигацию, устрашая богомольный народ.

Изобретателен был Гордей Иванович необыкновенно. Первым на Волге он построил пароход с железным корпусом; вынашивал замысел о разборных

Базарный неписаный «этикет» требовал от всех продавцов особого, «деликатного» обращения с покупателями, что выражалось прежде всего в определенном титуловании всякого лица, сообразно его внешнему виду. Человек в чиновничьей форме, со светлыми пуговицами, именовался «господин!». Субъект в шубе или богатом пальто - «хозяин!» Личности менее солидной присваивали звание «почтенный!», «почтеннейший!». Юных летами величали «молодцами» или «добрыми молодцами». По отношению к женскому полу все продавцы с легкой руки галантерейщиков и мануфактурщиков усвоили специальную скалу обращений. Модистка или швейка по виду именовалась «мамзель!». Горничная или няня по виду - «умница!». Дородная, важная особа - «барыня!». Толстая мещанка в платке - «тетушка!». Тонкая - «тетенька!» Девушка крестьянского облика - «дочка!» и т.д.

Д.Н. Смирнов

баржах, где каждая часть при необходимости могла плавать отдельно; намеревался устраивать зимой на стянутых в затоны судах временные мельницы-амбары; проектировал приспособить к днищам барж валики, чтобы громоздкие суда были в состоянии перекатываться через мели.

Дивились и завидовали купцы поразительной смекалке Чернова, признавали его талант, прозвали даже «американцем», но новшества его считали пустыми затеями. Так и входило в привычку ценные идеи Гордея Ивановича списывать на его оригинальничанье.

Как-то он велел капитану провести караван судов в неположенном месте. Тут как тут появился судоходный надзор. Тогда Чернов сам встал на капитанский мостик и распорядился:

— Полный вперед!

Пренебрегая всеми запретами надзора, самоуправец провел караван через перекат.

Выходка стоила ему тюрьмы. Но зато все убедились, что для Гордея Ивановича Чернова нет никаких препятствий.

Но однажды он взял да и распрощался с Волгой, без следа сгинул. Прошло немало времени, и только в 1896 году вдруг объявился Гордей Иванович на Всероссийской выставке в Нижнем. Был он в монашеской рясе и сообщил, что прибыл из Греции, из Староафонского монастыря. Туда и отправился снова, недолго погостив в родном городе.

В конце прошлого века хорошо были известны на Волге пароходчики Кашины. Старший в роду Михаил Матвеевич Кашин, называвший свои многочисленные пароходы только именами родственников, нажил огромное состояние. Однажды его завистливый соперник пустил на местной линии, где

уже работал кашинский пароход «Аввакум», свое судно, причем цену билета установил на пятак дешевле. Кашин, естественно, не потерпел этого и сбросил гривенник. Сопернику пришлось снова понизить цену, а Кашин не уступил. Конкурент опять сбавил, тогда Кашин стал перевозить пассажиров бесплатно. И сопернику пришлось поступить так же. Больше, казалось, изобрести было нечего. Но Кашина не могло устроить такое равновесие, ему во что бы то ни стало хотелось обойти конкурента. И он придумал хитрый ход. На палубе «Аввакума» появились большие короба со свежими булками, и матросы принялись заманивать публику:

— К нам, к нам спешите! На дармовщину везем, да еще и сдобой угощаем!

Толпа с пристани хлынула к «Аввакуму».

С неделю кашинские пассажиры ездили бесплатно и с угощением, забивая пароход до предела, пока огорошенный соперник не отступился и прекратил безумное состязание. Конечно, Кашин сразу же вернулся к первоначальным ценам.

Плохо кончил не знавший удержу своим неуемным страстям богач. Пил, кутил, развратничал, за вечер проигрывал в карты тысячи. Когда-то Кашин был крепостным мужиком; уйдя от помещика на Волгу, сумел сколотить капиталец и приобрести первый буксирный пароход, который в честь реформы 1861 года назвал «Манифестом», но дикой осталась его натура, хотя и стал он вести себя по-барски. В конце концов он дошел до крайних гнусностей, и смерть была для него единственным исходом.

Не отличался добронравием почетный член Коммерческого клуба городской голова в Нижнем Новгороде (1871-1878, а затем 1887-1894) Алексей Максимович Губин, хотя и провозглашал, по свидетельству М.Горького, громогласно и наставительно:

— ...Правду надо всем одну... Такую надо правду, чтобы все мы, сукины дети, на карачках ползали от нее в страхе...

И вот этот приверженец правды то и дело давал волю кулакам. Будучи церковным старостой, он прямо в церкви, во время обедни, избил не угодившего ему дьякона. Следствие тянулось несколько лет. Купцы вступились за Губина, проявив сословную солидарность. Один из них даже подал прошение в городскую управу о выражении сочувствия буяну. Отмечалось, что Губин много лет усердствует на общественном поприще, директорствует

«В Нижний! Иду в Нижний» - возглашали голоса буксирных пароходов, выводивших крутобокие баржи на стрежень Волги

«To Nizhny! I am heading for Nizhny!» pronounced the horns of tugboats that towed high-sided barges to the deep stream of the Volga river

в городском общественном банке, уступил дом для Кулибинского училища и тому подобное. В конечном итоге суд оправдал «героя».

Однако совсем неверно было бы представлять нижегородское купечество в целом как сообщество загульных, с необузданными страстями сумасбродных хамов, что, изрядно хватив водочки и откушав расстегаев со стерлядью, белужки в рассоле, поросенка с хреном да зернистой икорки, начинали бить зеркала, грязно ругаться и требовать «арфисток».

Тот же Губин со своим тяжелым, вспыльчивым характером вовсе не был законченным скандалистом. Имелись у него и достоинства, и деловые способности, недаром он был награжден девятью орденами, два из которых — Льва и Солнца — ему пожаловал персидский шах.

Своеобразно сложилась судьба водочного заводчика Александра Александровича Зарубина, вступавшегося, кстати, за Губина и прослывшего в Нижнем «защитником законности». Обанкротившись и отсидев почти три года в остроге, Зарубин стал истовым правдолюбом. М.Горький в своих очерках рассказывает несколько историй, связанных с этим оригинальным человеком. Однажды Зарубин обжаловал действие местной полиции, неправедно взыскавшей копейку с какого-то обывателя, поехал в Петербург, добился в сенате указа о запрещении взимания подобных сборов и, возвратившись в Нижний, обратился в редакцию «Нижегородского листка» с требованием опубликовать указ. Но в газету поступило распоряжение губернатора остановить публикацию. Тогда Зарубин явился к губернатору.

— Ты что же, — назидательно сказал он ему, — законов не признаешь?

Указ был напечатан. Занимавшийся когда-то производством спиртного, поборник справедливости стал организатором общества трезвости и поклонником Льва Толстого. Городовые побаивались его, извозчики при нем переставали браниться «математическими словами».

Горький упоминает о таком случае: «Приехал в Нижний знаменитый тогда священник Иоанн Кронштадтский; у Архиерейской церкви собралась огромная толпа почитателей отца Иоанна, — Зарубин подошел и спросил:

— Что случилось?

— Ивана Кронштадтского ждут.

— Артиста императорских церквей? Дураки...

В середине 1862 года дорога была окончена. Первые пущенные по рельсам поезда состояли из 3-4 пассажирских вагонов и 10-15 открытых платформ со скамейками для пассажиров. Открытие движения администрация ознаменовала крестным ходом, молебном и роскошным обедом для инженеров, приготовленным знаменитым в то время нижегородским поваром Никитою Егоровым.
Д.Н. Смирнов

Его не обидели; какой-то верующий мещанин взял его за рукав, отвел в сторону и внушительно попросил:

— Уйди скорее, Христа ради, Александр Александрович!»

Такие люди из купеческого сословия, как Зарубин, хоть и слыли чудаками, все же способствовали смягчению нравов, создавали в городе атмосферу доброжелательства. Так что далеко не всегда оказывалась права обидная поговорка — «в Нижнем дома каменные, а люди железные».

У каждого справного нижегородского купца в обычае велось любую удачную сделку не только в трактире отметить, но и поставить свечку в церкви и подать бедняку. Немалые средства вкладывали предприниматели в строительство храмов.

В Нижнем Новгороде были определенные дни, когда помощь бедным оказывалась обязательно. Таким, например, днем был день закрытия ярмарки. Приняв участие в крестном ходе и молебне, купцы по обыкновению возвращались в свои лавки, приготовив щедрую милостыню. Нижегородские газеты печатали фамилии тех, кто жертвовал на детские дома, помогал погорельцам, неимущим семьям. И списки жертвователей появлялись постоянно. Зато уж если кто скупился, того молва не щадила.

Богатый пароходчик и мукомол, основатель торгового дома «Емельян Башкиров с сыновьями» был невероятно скуп и стал личностью анекдотической. Рассказывают, что возвращался как-то Емельян Григорьевич со своей мельницы в верхнюю часть города. По съезду ехал извозчик.

— Садитесь, ваше степенство, довезу. Недорого возьму — гривенник.

— Побойся Бога! Эку цену заломил. Давай за пятак.

Рядом двигаются и спорят, торгуются. Наконец, извозчик уступает.

— Ну, ради вас, ваше степенство, согласен. Садитесь за пятак — поехали.

— Нет, брат. Теперь-то уж я не сяду. Гляди-ка, в разговоре с тобой и не заметил, как полгоры прошел.

Лавки и магазины, постоялые дворы и номера жли ожиданием гостей

Shops and stores, inns and hotels were always eager to receive guests

Другой случай. Пожалован был Башкирову знак Орла за высокое качество муки. Служащие собрались поздравить Емельяна Григорьевича, надеясь на угощение.

— Зачем пожаловали? — спрашивает Башкиров.

— Поздравить хотим с монаршей милостью.

Наморщил чело Емельян Григорьевич, полез в карман, достал кошелек. Долго шарил в нем. Наконец, вытащил двугривенный, подал.

— Вот получайте. Да, смотрите, не пропейте.

После смерти старшего Башкирова в 1891 году все его миллионные капиталы перешли к сыновьям. Сыновья оказались достойными преемниками. С почтением произносили нижегородцы имена Якова и Матвея Башкировых. Слава их разносилась по всей России. Мука башкировского помола считалась лучшей, ее спрашивали во всех концах губернии, она стала известной за границей. Целыми днями беспрерывно тянулись от нижегородских причалов до мельниц подводы с зерном. На одной лишь мельнице перемалывалось свыше 12000 пудов зерна ежедневно. Предприятие Матвея Емельяновича располагалось близ Ромодановского вокзала, Якова Емельяновича — в Кунавине.

Знали Башкировы толк в работе. Недаром Яков Емельянович заявлял, что род его из бурлаков вышел. И еще тем похвалялся Яков Емельянович, что хитроумный персонаж романа Горького «Фома Гордеев» Маякин точь-в-точь он сам:

— Маякин? Это — я! С меня списано, вот глядите, каков я есть умный.

Держал себя Яков Емельянович независимо, гордо, не пресмыкался перед сановниками, но был замкнут и чрезмерно самонадеян. И все же, несмотря на человеческие слабости, крепкими, настоящими хозяевами были Башкировы. Стоят поныне в Нижнем Новгороде построенные ими мельницы. И еще какую пользу приносят!

Первый электромагнитный телеграф появился между Нижним и Москвой в ноябре 1858 года. Этот момент совпал с началом сооружения первой в Поволжье железнодорожной линии. Мысль о Нижегородской железной дороге возникла еще в 1846 году.
Д.Н. Смирнов

От «Скобы» и торговых рядов начинается Ивановский съезд, что неторопливо взбирается на вершину кремлевского холма, рассекая надвое территорию нижегородского кремля

The Ivanovsky Slope begins from Skoba and trade rows. It climbs slowly the Kremlin Hill dividing the territory of the Nizhny Novgorod Kremlin into two parts

Умело, талантливо,
с расчетом на перспективу
вел свое дело блестящий
представитель династии
нижегородских мукомолов
Матвей Емельянович
Башкиров вместе со своими
сыновьями и служащими

Matvey Yemelyanovitch
Bashkirov, an outstanding
representative of the Nizhny
Novgorod miller dynasty,
together with his sons end
workers ran his business
skilfully, finely, planning it for
long terms

Первая телефонная линия
в Нижнем Новгороде была
проведена пароходным
обществом «Дружина», связав
Георгиевскую пристань
с квартирами директоров-
распорядителей. Первая
в России телефонная линия
гражданской связи вступила
в эксплуатацию 20 июля
1881 года.
«Записки краеведов»

Честное дело никогда не творилось ради одной прибыли. Ум, растороп-
ность, риск — да еще с удальством, да еще с задором — одобрялись на Волге.
Не было только похвалы тому, кто ловчил не в меру, мошенничал, крал.
Известно, что отец Федора Блинова, тоже, как и Башкировы, миллионер-
мукомол, подарил сыну, отсидевшему в тюрьме за махинации с солью, пару
чугунных пудовых галош. Тот их должен был носить по полчаса в каждую
годовщину суда. Мол, не роняй купеческой чести, не теряй достоинства.

Больше всего полюбили состязаться волжские предприниматели в ново-
введениях. Так, небезызвестный Александр Альфонсович Зевеке первым
построил в Нижнем Новгороде пароход американского типа с малой осадкой.
Его судно «Амазонка» появилось на Волге в навигацию 1882 года, поразив
всех громадными колесами за кормой. А затем уже появилась целая серия
таких судов.

Славился на Волге умелый предприниматель Маркел Александрович
Дегтярев, в почете был обстоятельный Михаил Иванович Шипов. Хорошо
знали волжане завод Устина Саввича Курбатова, где производилась сборка
судов, и его фирму, эксплуатировавшую буксирно-пассажирские пароходы
с отличительным знаком — белой полосой на трубах.

Известны были своей предприимчивостью Аристарх Андреевич и Николай

Андреевич Блиновы, владевшие мукомольнями и крупяными заводами в Заволжье.

Рождественскую улицу в Нижнем и сейчас украшает здание пассажа, построенное Блиновыми.

Нельзя отделить от нижегородского купечества такой блистательной фигуры, какой был Савва Тимофеевич Морозов, несколько лет возглавлявший ярмарочный комитет и по поручению торгово-промышленного сословия России преподнесший в 1896 году хлеб-соль государю императору. Влияние европейски образованного, умного и энергичного председателя комитета на деловые круги было поистине огромным.

Запал в память нижегородцам один характерный случай. Министр финансов Витте отказал ярмарочному комитету в ходатайстве об увеличении сроков кредитов государственного банка. Единственным из предпринимателей, кого не смутил отказ, был сам председатель комитета. В изложении присутствовавшего на заседании комитета М.Горького речь Морозова свелась к следующему:

— У нас много заботятся о хлебе, но мало о железе, а теперь государство надо строить на железных балках... Наше соломенное царство не живуче... Когда чиновники говорят о положении фабрично-заводского дела, о положении рабочих, вы все знаете, что это — «положение во гроб...»

Было кого ждать извозчикам у Ромодановского вокзала: в Нижний всегда приезжало много гостей

Cabmen near the Romodanov Station did not have to wait long: plenty of guests were always arriving to Nizhny

Он предложил отправить резкую телеграмму министру. На другой день был получен ответ: Витте согласился с доводами комитета и удовлетворил ходатайство.

Прослыв деловым человеком, Савва Тимофеевич был вхож в другой мир — мир искусства. Любил театр, живопись, читал наизусть целые главы из «Евгения Онегина», восхищаясь гением Пушкина, хорошо знал творчество Бальмонта и Брюсова. Морозову не давала покоя идея о европеизации России, что, по его мнению, могла осуществиться только через революцию. Вместе с тем он никогда не сомневался в талантливости своего народа, материально поддерживал яркие дарования. Пример меценатства таких крупных авторитетов в деловом мире, как Савва Тимофеевич Морозов и Савва Иванович Мамонтов, который создал все условия для расцвета таланта Федора Ивановича Шаляпина, увлекал многих из молодого поколения предпринимателей. Это отвечало не только новым веяниям, но и вековечной народной мудрости о превосходстве духовного богатства перед материальным: «Душа — всему мера».

В условиях переосмысления традиций, в переломное время бурного развития капитализма непростым было становление такого масштабного и популярного среди нижегородцев деятеля новой формации, каким представляется нам сейчас миллионер Дмитрий Васильевич Сироткин. Оригинальной была эта личность, своеобразно сложилась и прихотливая судьба Сироткина.

…Приближалась к концу Великая Отечественная война. Бои шли уже за рубежами нашей Родины. Осенью 1944 года войска маршала Толбухина вышли к Дунаю, намереваясь освободить Белград. Но прежде надо было форсировать Дунай. Широкая река удручала пустынностью — нигде ни суденышка. А переправляться требовалось срочно. Командиры полков ломали головы над этой задачей.

Склады ломились от товара, торговля давала работу тысячам нижегородцев

Warehouses were crammed with goods. Trade provided employment for thousands of Nizhny Novgorod residents

Савва Тимофеевич Морозов обладал крепкой натурой и умел ладить с властями, не поступаясь интересами отечественных предпринимателей

Savva Timofeyevitch Morozov was a man of strong will and could get along with authorities, not waiving the interests of the native businessmen

Ранним утром часовые разглядели сквозь туманную пелену на реке лодку. Она бесшумно скользила к берегу, поросшему густым кустарником. Опасаясь нарушить тишину, бойцы окликнули лодочника только в тот момент, когда он покинул лодку и стал пробираться сквозь заросли. Это был крепкий осанистый старик с широким чистым лбом и белой короткой бородкой. Вид был у него внушительный, жесты решительные, властные.

— Ведите меня к командиру,— сказал он по-русски и посмотрел таким твердым, уверенным взглядом, что бывалые солдаты не посмели ослушаться.

Его привели на командный пункт. Он, не теряя времени, предложил генералу:

— Знаю, вам нужна переправа. У меня есть на Дунае своя флотилия: катера, буксиры, баржи. Все это недалеко отсюда, в укромном месте. Можете пользоваться.

— Да кто вы такой? — изумился генерал, не в силах поверить нежданной помощи.

— Местный предприниматель. А в прошлом — последний нижегородский городской голова Дмитрий Сироткин.

Такая вот удивительная история. А рассказывали ее солдаты, вернувшиеся с фронта. Похоже на легенду. Но ведь легенды ни с того ни с сего не рождаются.

И потому есть резон обратиться к воспоминаниям одного из волжан —Ивана Александровича Шубина, который встречался с Сироткиным в начале века.

«Сироткина я увидел, совершенно не зная его. По его приглашению пришел в контору… Он был среднего роста, значительно ниже меня. Обращала на себя внимание внутренняя сила. Он был в порывистой сдержанности, и если выходил из себя, то с некоторой порывистостью несколько резких слов дозволит себе и только быстро опять берет себя в руки. В нем была не столько суровость, сколько деловитость. Глаза у него были серые, живые. Руки уверенные, небольшие, легкая, быстрая походка. Очень любил музыку, бывал на концертах. Устраивал много концертов сам и много делал для публики, которая могла платить. На Нижнем базаре устраивал литературно-музыкальные собрания для бедноты. Репертуар подбирал сам,

Купец Акифьев в 1851 году пожелал вызолотить крышу своего дома на Ильинке, предлагая одновременно позолотить главы соседней Вознесенской церкви. По протесту архиерея, заявившего, что «золотым подобает быть лишь Божьему дому», первая часть затеи была Акифьеву запрещена. Раздосадованный купец покрыл червонным золотом решетку вокруг своего особняка и в отместку архиерею отделал не золотом, а светлой жестью церковные купола.
Д.Н. Смирнов

О городском голове Дмитрии Васильевиче Сироткине нижегородцы отзывались почтительно: «Хозяин!» Он оставил в наследство городу почти все богатство

Dmitri Vasilyevitch Sirotkin, the mayor, was highly respected by the city residents who called him with deference «Master!» He bequeathed almost all his fortune to the city

художественный составляла артистка Яковлева, а драматический — Волков и Капралов. Собирались каждый праздник, и мне лично приходилось бывать, всегда слушали с большим вниманием и интересом. Читали классиков наших, стихотворения, а музыка была главным образом русских композиторов...»

Наверное, уже можно составить общее представление о личности, духовные интересы которой вполне соответствуют поступку, совершенному Сироткиным на закате жизни.

Он происходил из старообрядческой семьи. Его отец Василий Иванович был крестьянином деревни Остапово Пуреховской волости Балахнинского уезда — это рядом с бывшим вотчинным имением незабвенного князя Пожарского.

Василий Иванович промышлял щепным товаром, отвозил его на заказанных расшивах вниз по Волге — в Царицын да Астрахань, сбывал оптом. Дело шло бойко. В считанные годы разбогател оборотистый крестьянин, стал владельцем буксира «Воля». На «Воле», окончив начальное училище, и работал с юных лет младший Сироткин — поваренком, матросом, водоливом, рулевым. Наступает пора, когда Дмитрий Васильевич сам становится у штурвала своего парохода, тоже названного «Воля». Судно это уже было мощнее отцовского, с железным корпусом и с паровой машиной, спроектированной известным по всей Волге механиком Калашниковым. Надо сказать, что конструкция машины «Воли» вскоре была удостоена премии на Всероссийской выставке в Нижнем Новгороде. Честолюбивый Сироткин добился первого большого успеха — его судно было признано одним из лучших на реке.

Упорство, усиленные занятия самообразованием, увлечение инженерией,

конструированием, жажда усовершенствовать всякое дело — все это выделяло Сироткина среди предпринимателей. Взявшись за перевозку нефти по Волге, он создал свой тип судов: по чертежам Сироткина нефтеналивная металлическая баржа «Марфа Посадница» была построена в 1907 году. Конкурировавшее с фирмой Сироткина товарищество Нобеля срочно принялось за строительство судов подобного типа.

За Сироткиным было признано первенство среди судовладельцев. Его избирают председателем Нижегородского отделения «Императорского общества судоходства», руководителем координационного комитета всех бирж Поволжья, председателем постоянного совета съездов судовладельцев Волжского бассейна.

Умея трудиться с полной отдачей, он, естественно, не выносил никакой расхлябанности, беспорядка, недобросовестности. Со зла кто-то сочинил про него хлесткую частушку:

> Как на Волге, на реке
> Все у Митрия в руке.
> Левой ручкой он подманет,
> Правой дюже жилы тянет.

А так ли было на самом деле? Тот же Шубин вспоминает о Сироткине: «Он умел подбирать людей и сработаться с ними. Но, не мешая работать, Сироткин, в отличие от Бугрова, основывался не на личной благотворительности, а привлекал общественность, устраивал городские попечительства о бедноте... Людей называл не на «ты», а на «вы». На баржах у него были составлены библиотеки... Сироткин организовал страхование рабочих от печальных случаев, к этому многие из купцов относились отрицательно.

Маленькие торжочки
и базары в урочные дни
рождались на городских
площадях

Small markets and bazaars
appeared in the city squares
at a fixed time.

Кроме этого он проделал такую вещь: в состав совета купеческих съездов провел представителя из рабочих».

Весной 1910 года в Нижнем Новгороде создается «торгово-промышленное и пароходное общество «Волга». Директором-распорядителем стал купец 1-й гильдии коммерции советник Сироткин, в руках которого сосредоточились громадные по тем временам средства. Основной капитал «Волги» был доведен до 10 млн. рублей. А суда общества появились на Оби, Иртыше, Енисее и Дунае. У села Бор деятельный предприниматель строит большой завод по изготовлению теплоходов. Завод этот и теперь работает — под названием «Теплоход».

1913 год. Нижегородцы провели выборы нового городского головы. Из нескольких кандидатов был предпочтен Сироткин.

«Обещаюсь служить городу не за почести, а по совести»,— сказал при вхождении в должность Дмитрий Васильевич. Он просил перечислять свое жалованье в городской бюджет. И поделился замыслами: построить постоянный мост через Оку, благоустроить окраины, развернуть работы по электрификации.

Но этим замыслам не суждено было сбыться. Началась долгая война с Германией. И уже вовсе не мирные заботы обременили городского голову. Однако в заслугу ему можно поставить то, что при нем был выкуплен управой

На нижегородском Балчуге продавался самый дешевый бросовый товар

The most dirt-cheap goods were sold in the Nizhny Novgorod Baltchug

концессионный трамвай, построен Крестьянский поземельный банк, осуществлен переход к всеобщему начальному обучению.

Немало добрых дел на счету Сироткина, личности, несомненно, исключительной. Но недовольно было Сироткиным чиновничество, которому он мешал творить произвол при распределении военных заказов, блюдя интересы предпринимателей.

Начальник Нижегородского губернского жандармского управления полковник Мазурин доносил 9 октября 1915 года директору департамента полиции, что городской голова Сироткин «слыл лишь хорошим и ловким дельцом, не забывающим свое личное «я» и составившим из ничего довольно солидное состояние». Уже из этой фразы понятно, что жандарм, мягко говоря, кривит душой. А далее следует нещадный поклеп: «К моменту возникновения войны, он (т.е. Сироткин. — *В.Ш.*) был неограниченным распорядителем в городском самоуправлении, но городскими делами занимался лишь в исключительных случаях, когда это ему создавало рекламу, часто отсутствуя по своим делам, так, в 1914 г. не жил в Нижнем 240 дней». И вот Мазурин переходит к делу, находя вину Сироткина в том, что тот, «исполняя в навигацию 1914 г. поручение военного ведомства по перевозке военных грузов, раздал перевозку эту близким ему дельцам, установив цены, явно не выгодные для казны...». Конечно, было бы нелепо принимать эти обвинения за чистую монету.

Дмитрий Васильевич признал благотворность Февральской революции, стал носить на сюртуке красный бант и возглавил городской исполнительный комитет Временного правительства. Как и многим деятельным людям, ему, верно, казалось, что Россия, освободившись от пут самодержавия, еще быстрее двинется по пути прогресса. Однако вскоре оптимизм сменился тревогой. Наступило время смуты и хаоса. И, уже не надеясь на лучшее, предвидя неотвратимые катаклизмы, Сироткин решает отправиться за границу, благо у него были свои пароходы на Дунае.

Он покинул Нижний, оставив о себе добрую память. В его прекрасном особняке на волжском Откосе, созданном талантливыми архитекторами братьями Весниными в 1916 году, — ныне находится художественный музей. Кроме того, город обязан Сироткину уникальными коллекциями фарфора, шалей и платков, русского народного костюма, золотого шитья. В эмиграции ему пришлось узнать, что произведения искусства, оставленные им на Родине, бережно сохраняются, став достоянием нижегородцев, и это его порадовало. Он прожил большую жизнь, скончавшись в начале пятидесятых годов. Говорят, после войны он хотел вернуться в Россию, но разрешения не получил.

Десятилетиями нам навязывался образ купца как алчного, хищного монстра, пекущегося только о наживе. И вся его деятельность была представлена чуждой народу. Даже и город, славный своим купечеством, оказывался виноватым, ибо, по словам верного сталинца А.А.Жданова, «старый Нижний был городом-паразитом, который из сормовских и канавинских рабочих выжимал прибавочную стоимость для того, чтобы давать возможность Сироткиным, Бугровым и Башкировым наживать толстую суму и развратничать на ярмарке летом и спускать свой жир». Но откуда же брались купцы, как не из народа?

Трудно представить, каким бы захудалым городом выглядел Нижний, какой бы скудной на события была его история, если бы в его становлении не участвовало купечество. Да разве об одном Нижнем речь!

<...> Еженедельные базары располагаются по площадям: Новой Замковой, Старой, Сенной, Новой Сенной, Малопокровской и Владимирской. На базарах этих продаются сельские продукты и съестные припасы.... В конце Большой Покровки были два оврага - в одном из них был грязный зловонный пруд. В 1880 годах овраги были засыпаны, выровнены и замощены, отчего образовалась огромная площадь Новая, на которой и расположен ныне базар по средам. В конце Варварской улицы, против тюремного замка также был грязный пруд. Пруд этот засыпан, отчего образовалась обширная площадь. Площадь замощена и на нее переведен в последнее время базар по пятницам...

Краткий очерк состояния городского хозяйства и благоустройства Нижнего Новгорода

Торг в пригородном селе

Commercial trade
in a suburban village

Фабрик и заводов в 1895 г. было 50; сумма их производства 6848500 руб., рабочих 2788. Три мукомольных завода на 4628 тыс.руб.; два водочных на 489880 руб.; механические заводы для постройки: 1) пароходов - 360 тыс. руб., 2) шпал - 160 тыс.руб. и 3) мукомольных мельниц - 98 тыс. руб. Пивоваренных заводов три - 152400 руб., кошмовальный 1, мыловаренный 1, уксусный 1, пряничных 2, рогожных 2, чугунно-литейных 2, цинковальный 1 - 186560 руб., медных изделий 1, кирпичных 5, гончарный 1, воскобойный и воскосвечный 1 - 100 тыс.руб., весовых коромысел 1, техно-химических 2, минеральных вод 7, механическо-слесарных-столярных 2, экипажных 3, красильных 3. Три конских (рысистых) завода, 2 птицеводных хозяйства.
Брокгауз

Нельзя не согласиться с глубокой мыслью Федора Ивановича Шаляпина о том, что «в полустолетие, предшествовавшее революции, русское купече-ство играло первенствующую роль в бытовой жизни всей страны». А Шаляпину ли этого не знать, когда его талант достиг небывалого величия благодаря купеческому меценатству. Размышляя об отечественном купце, начавшем дело с торговли вразнос нехитрым домоделым товаришком, Федор Иванович говорит про него: «…Он ест требуху в дешевом трактире, вприкусочку пьет чаек с черным хлебом. Мерзнет, холодеет, но всегда весел, не ропщет и надеется на будущее. Его не смущает, каким товаром ему приходится торговать, торгуя разным. Сегодня иконами, завтра чулками, послезавтра янтарем, а то и книжечками. Таким образом, он делается «экономистом». А там, глядь, у него уже и лавочка или заводик. А потом, поди, он уже 1-й гильдии купец. Подождите — его старший сынок первый покупает Гогенов, первый покупает Пикассо, первый везет в Москву Матисса. А мы, просвещенные, смотрим со скверно разинутыми ртами на всех непонятых еще нами Матиссов, Мане и Ренуаров и гнусаво-критически говорим: «Самодур…» А самодуры тем временем потихонеч-ку накопили чудесные сокровища искусства, создали галереи, музеи, первоклас-сные театры, настроили больниц и приютов…» И вот еще что ставит в заслугу купцам знаменитый на весь мир певец: они «победили бедность и безвест-ность, буйную разноголосицу чиновных мундиров и надутое чванство дешевого, сюсюкающего и картавящего аристократизма».

Какие бы ни возникали помехи, помнило нижегородское купечество старозаветную заповедь — порадеть для отечества и верило, что затраты на благие дела в конце концов окупятся сторицею. И оно не ошиблось: воскрешены ныне в памяти добрые имена почтенных предпринимателей и произносятся они наряду с именами известных общественных деятелей и ученых, зодчих и художников.

Да славятся и впредь благие дела нижегородского купечества, всего былого торгово-промышленного сословия на Руси, оценивая значение которого приехавший в наш город на Всероссийскую выставку в 1896 году великий ученый Дмитрий Иванович Менделеев уверенно предрек: «Русский человек реально встанет не в уровень, а впереди своего века».

Федор Богородский

Из воспоминаний

На Осыпной улице жил известный фотограф М.П.Дмитриев. Он занимал весь второй этаж каменного белого дома над книжным магазином Геца. Все стены вестибюля были увешаны фотографиями, изображающими жизнь и быт Нижнего Новгорода. Почти напротив этого дома стояла специальная деревянная витрина с огромным зеркальным стеклом. Около нее всегда толпились зрители. Здесь можно было видеть фотографии А.М.Горького с Ф.И.Шаляпиным, В.Г. Короленко, П.И.Мельникова-Печерского, В.Е.Чешихина-Ветринского, Е.Н.Чирикова и многих других деятелей культуры и искусства.

Особый раздел был посвящен так называемым «горьковским» местам - «миллиошке» с ее обитателями «золоторотцами». Так именовались босяки и весь нищий народ, ютящийся в ночлежках Миллионной улицы, расположенной у берега Волги на Нижнем базаре.

Этих «бывших людей» было особенно много зимой на городском рынке -Мытном дворе. Летом они наводняли волжские пристани, улицы Нижнего базара, вокзалы и ярмарку. У них опухшие, синие от пьянства лица, сквозь лохмотья видно голое, тощее тело… К босым ногам веревками привязаны калоши или какие-то остатки башмаков. Эти несчастные стоят, съежившись от холода, и молят о подаянии или просят какую-нибудь хозяйку дать им дотащить покупку за «шкалик» водки.

«Милостивая государыня! Не дайте погибнуть бывшему гвардейскому корнету!» Бывший «корнет» зябко переминается на снегу полубосыми ногами и старается закрыть голую грудь каким-то рваным полотенцем. «Мадам! Спасите бывшего гусара! Дайте возможность честно заработать гривенник!»

«Мадам» жалеет «гусара», и он, взяв корзину с овощами и мясом, гордо шествует впереди хозяйки.

Впрочем, среди босяков встречаются и агрессивные личности. Вот один из них, оборванный, заросший волосами, с палкой в руках, останавливает прохожего:

- Сэр, - говорит он, выразительно поглядывая на свою палку, - дайте барону на хлеб!

- Не дам, милорд, - решительно заявляет прохожий.

- Почему?

- Потому что у меня есть своя палка, но потолще…

«Барон» ретируется, и прохожий идет дальше.

Мой отец служил вместе с А.М.Горьким у присяжного поверенного А.И.Ланина, толстого человека с большой поседевшей бородой. Горький был тогда делопроизводителем, а мой отец - помощником адвоката.

А.И.Ланин бывал у нас и обычно оживленно беседовал с моим отцом -красивым темпераментным человеком с добрыми серо-голубыми глазами, небольшой бородкой и зачесанными назад черными непослушными волосами. Много лет спустя отец рассказывал подробно о том, как он был знаком с Алексеем Максимовичем, причем рассказы отца были всегда как-то особенно трогательны, и образ великого писателя еще с детства рисовался мне глубоко романтичным, вызывающим искреннее восхищение.

***

Когда улицы заваливает снегом, на их очистку приводят из острога арестованных уголовников. В серых суконных штанах и тужурках, в кругленьких шапках, они разгребают от снега тротуары и наваливают его на сани-розвальни. На розвальнях сидят кучер-арестант и его страж - полицейский.

Арестанты работают сосредоточенно. Иногда сердобольная старушка сует в руку милостыню, а они, быстро сняв шапку, крестятся… Таких арестантов на улицах я вижу часто. Их ведут по мостовой из острога то в окружной суд, то на какие-то работы… Они идут нестройным шагом, сопровождаемые солдатами с шашками наголо. Иногда появляются арестанты, закованные в цепи. Они придерживают эти длинные цепи руками, широко расставляя ноги, низко опустив голову. Еще издали услышав звон цепей, я бегу смотреть на них. Какие серые, тоскливые у них лица! И как жалко их несчастных!..

Ежегодно в январе в Нижнем устраивались крещенские ярмарки. В кремле, на площади у губернаторского дворца, раскидывались палатки со всякой снедью и товарами. Среди разношерстной, шумной толпы похаживали молодцы с медными самоварчиками и кричали:

- Сбитень! Сбитень! Горячий сбитень!

Талии сбитенщиков были обвиты полотенцами, из которых торчали пузатенькие стаканчики. Обжигаясь, я пил этот горячий сладкий напиток янтарного цвета, сваренный на меду с имбирем и шафраном.

Внизу, на Нижнем базаре, на волжском берегу у Софроновской площади, тоже шумела ярмарка с шарманками, каруселями, гармошками, сопелками и «тещиными языками».

Пестреют на снегу палатки с семеновскими игрушками, пахнущими липой и можжевельником, гудит толпа, взрываясь смехом, глядя на фокусы медведя, которого водит на цепи лохматый цыган Мороз - тридцать градусов, голубой пар клубится от дыхания, и розовый снег скрипит под тысячами ног.

На ярмарку приехали на розвальнях крестьяне из окрестных деревень. Горят на солнце их оранжевые полушубки, зеленые шали и белые с красными узорами валенки…

Бредут гуськом слепые нищие. Они оборванны. Их плечи оголены, волосы всклокочены. Посиневшие от холода, они «тянут Лазаря», протягивая руки за подаянием. Около палатки с толстыми кренделями прыгает на снегу юродивый, стараясь согреться. Он в женской кофте, полубосой. В руках у него деревянная плошка с копеечками.

«Подайте убогому Христа ради!» - гнусавит он.

Гудящая толпа бросается к берегу реки. Там появился крестный ход с хоругвями. Солнце поблескивает на позолоте икон и поповских риз. Невдалеке зияет черной водой прорубь - «иордань». Около нее начинается богослужение. Поет хор А.А. Кривауса, священник окропляет присмиревшую толпу «святой водой», замерзающей на лету сапфирными брызгами.

Но вот из толпы вылезают какие-то парни. Они держат человека, завернутого в тулуп. Неожиданно тулуп разворачивается, и голый человек, перекрестившись, бросается в прорубь. Толпа ахает. Через секунду из воды показывается синее лицо с выпученными глазами. Человека вытаскивают, заворачивают в тулуп и волокут в ближайший трактир отпаивать водкой. Таков старинный крещенский обычай!

УЛИЦЫ ПРАДЕДОВ НАШИХ

В добром старом Нижнем достаточно отойти на несколько десятков шагов от оживленных магистралей, как попадаешь в несвойственную для больших городов сдержанную тишину, в мир деревянных домов с зелеными двориками, где еще живет запах садов.

Здесь и поныне в майские дни из-за заборов поднимают свое белое прозрачное сияние цветущие черемухи и рябины; розоватым половодьем встречают прохожего заневестившиеся яблони.

Тихие-тихие улочки. Они остались небольшими островками в обновляющемся городе. И названия многих из них говорят о забытых страницах истории старого Нижнего.

Провиантская улица... Это название сохранилось от XVIII века, когда здесь была окраина города и помещались провиантские склады Нижегородского драгунского полка. На рубеже XIX века полк ушел на Кавказ. Это под его знаменем служили поэты М.Ю.Лермонтов и А.И.Одоевский, автор знаменитого ответа декабристов на пушкинское послание «В Сибирь».

Недалеко от того места, где эта улица выходит к Откосу, к Волге, стоит дом, который старожилы Нижнего называют просто «домик Балакирева». Организатор знаменитой «Могучей кучки» Милий Алексеевич Балакирев родился в Нижнем Новгороде, и в этом доме прошли его детские и отроческие годы. В Нижнем он начал свою музыкальную жизнь под внимательным покровительством А.Д.Улыбышева. В 1855 году тот возил своего ученика Милия Балакирева в Петербург, где познакомил юношу со своим старинным приятелем — Михаилом Ивановичем Глинкой. После обучения в Казанском университете Балакирев переехал в столицу и всецело посвятил себя музыке. Но нередко наведывался в родной город на Волге в 1860-1870-е годы. На берегах великой реки он записывал народные песни. Знаменитая бурлацкая песня «Эй, ухнем!..» была услышана М.Балакиревым на Нижегородской земле и после обработки начала свою новую, уже бессмертную жизнь.

Владимир Васильевич Стасов как-то обронил интереснейшую мысль: «Не

Архитектурным украшением
Большой Покровки навсегда
осталось здание дворянского
собрания

The building of the Nobility
Assembly has forever remained
an architectural adornment of
Bolshaya Pokrovka street

будь Балакирева, судьбы русской музыки были бы совершенно другие». Эти слова начертаны на памятнике знаменитому композитору, который установлен рядом с домом его детских лет.

По соседству с «балакиревским гнездом» стоит двухэтажный полукаменный дом. Десятилетиями сюда приходили экскурсии школьников, которым сообщалось, что на первом этаже жил революционер Пискунов и в феврале 1900 года здесь бывал Владимир Ульянов.

К сожалению, почему-то забывали добавить, что на верхнем этаже этого дома на углу Провиантской и Жуковской (ныне ул.Минина) улиц долгое время жил замечательный музыкальный деятель, личность известная культурной России, Василий Юльевич Виллуан. Ученик Н.Г.Рубинштейна, он почти полвека воспитывал музыкантов в губернском городе на Волге.

Судьбу дома В.Ю.Виллуана разделил другой старинный нижегородский дом, где проживали сестры А. и Н.Рукавишниковы, у которых в июле 1894 года также бывал и встречался с местными марксистами В.И.Ульянов. Этот дом 57 по бывшей Большой Солдатской улице (ныне ул.Володарского) связан с судьбой удивительной русской женщины — Надежды Прокофьевны Сусловой.

Она родилась в Горбатовском уезде Нижегородской губернии в 1843 году. Щедро одаренная, настойчивая, сдав экзамены на аттестат зрелости за курс мужской гимназии, она добилась разрешения посещать лекции профессоров Петербургской военной медико-хирургической академии. Училась у таких светил отечественной науки, как С.П.Боткин и И.М.Сеченов. Но доучиться ей не дозволили. Тогда она отправляется в Швейцарию, в Цюрих. Но и там,

Великий русский математик Николай Иванович Лобачевский - уроженец Нижнего

Nikolay Ivanovitch Lobatchevsky, a great Russian mathematician, was born in Nizhny Novgorod

Всех учебных заведений в Н.Новгороде 50, учащихся - около 7 тыс. Духовная семинария (436 уч.), Александровский дворянский институт (256 уч.), Аракчеевский кадетский корпус (371 уч.), мужская гимназия (444 уч.), реальное училище с механическо-техническим отделением (227 уч.), женский институт (220 уч.), женская гимназия (520 уч.), епархиальное женское училище (377 уч.), речное училище (56 уч.), 2 ремесленных, духовное училище, городское училище, уездное училище и 36 начальных школ (3111 учащихся). На содержание начальных училищ израсходовано городом 43211 руб. и казною 2025 руб.
Брокгауз

оказывается, не было случая, чтобы женщина училась на медицинском факультете университета. Все же Надежда Прокофьевна добивается своего и в 1867 году первой среди женщин России получает степень доктора медицины. Некоторое время она живет и работает в Петербурге, а 1870-1890-е годы вновь связаны с отчим Нижним, со старым домом на Большой Солдатской.

Надо сказать, что здесь одно время жила и ее сестра — Аполлинария, чья судьба тесно связана с жизнью Ф.М.Достоевского, а с 1880 года она становится первой женой будущего великого русского мыслителя Василия Васильевича Розанова.

Улицы прадедов наших требуют заботливого и взвешенного отношения к себе, когда речь идет об их реконструкции. Есть целая чреда славных нижегородцев, материальные следы жизни которых на карте города или утрачены вовсе или едва угадываются…

Вспомним гениального создателя неевклидовой геометрии Николая Ива-

Купцы-миллионеры
постепенно стали
обустраивать Откос
и возводить на нем свои
особняки, что на равных
спорили с дворцами

Merchants-millionaires
gradually started to cover
the Otkos with their mansions
which were equal
to the palaces. They managed
the Volga road zealously and
the river was always in front
of them

новича Лобачевского. Он родился в Н.Новгороде 11 октября 1792 года и жил в нашем городе до десятилетнего возраста.

Спустя полтора столетия другой выдающийся ученый, создатель теории нелинейных колебаний — Александр Александрович Андронов, который долгие годы работал в городе на Волге, решил установить место, где прошли ранние детские годы Лобачевского. А.А.Андронов живо интересовался историей науки и после долгих поисков в архивах, с помощью единомышленников, установил, что городская усадьба, где прошли нижегородские годы мальчика Лобачевского, находилась на углу улиц Алексеевской и Дворянской (ныне ул.Октябрьская). Следов застройки тех лет не сохранилось. На этом месте стоят более поздние здания XIX века.

Вспомним другого ученого, уроженца Нижнего Новгорода — Карла Францевича Рулье, натуралиста, зоолога, одного из крупнейших эволюционистов додарвинского периода. Он прожил в нашем городе четырнадцать лет. Вся дальнейшая жизнь и научная работа Карла Францевича Рулье связаны с Москвой и ее университетом.

Редко кто вспомнит, что продолжателем дела К.Ф.Рулье, одним из основоположников экологии новейшего времени был Александр Николаевич Формозов. Мы холодны и забывчивы. В родном городе крупнейшего ученого, так много сделавшего для России в организации заповедного дела, нет ни

мемориальной доски на доме на Большой Печерке, где он родился, ни улицы его имени.

В.Г.Короленко в своем рассказе «Сон» повествует об одном знаменитом нижегородце, который назван Серафимом Ивановичем: «...Когда он говорил о будущем русского народа, то в душе его поднималось какое-то розоватое облако, в котором роились неясные очертания... Такое же чувство возбуждало в нем прошлое, только очертания были несколько яснее. Он отлично знал летописи, и каждый городок его родного края был для него связан с целой цепью совершенно определенных сказаний, относительно которых он мог во всякую данную минуту указать не только источники, но и страницы и строки, где о данном месте в этих источниках говорилось».

Современники безошибочно узнавали, о ком шла речь на страницах рассказа. Прототипом его был Александр Серафимович Гациский — замечательный исследователь края, очеркист, статистик, этнограф, зачинатель Нижегородской губернской ученой архивной комиссии.

К сожалению, его дом на Студеной улице уже давно снесен, а могила утрачена. И тем не менее память о нем в истории города и края прочна, потому что вместе с П.И.Мельниковым-Печерским и Н.И.Храмцовским он стоит в ряду первых летописцев Нижнего и без его трудов невозможно говорить о становлении нашего краеведения, многих памятных делах в судьбе города прошлого столетия.

Он был из тех личностей, что своим талантом, удивительной работоспособностью умели преобразовать, осветить разумом жизнь провинции. А.С.Гациский не был «питомцем волжских берегов». Он родился в 1838 году в Рязани, но жил в нашем городе с девятилетнего возраста и до самой кончины.

Будучи человеком европейской культуры, А.С.Гациский в одном из своих очерков признавался: «...горячо люблю Европу, но не менее, если не более,

В 1871 году, в год приезда Алеши Пешкова в семью Кашириных, в Нижнем Новгороде была произведена перепись. Согласно этой переписи в городе в этот период насчитывалось около 40 000 жителей. Город состоял из 34 улиц, 14 площадей, 58 переулков, 10 съездов, 2 слобод, 1 села (Гордеевка), входящего в черту города. В городе было 38 церквей, 2 монастыря, 16 каменных зданий, принадлежавших разным ведомствам и учреждениям, 19 городских общественных зданий, 17 общественных пустопорожних мест, 2868 домов частных владельцев, 335 пустопорожних мест частных владельцев, 150 домов и усадеб в Гордеевке. В числе всех строений - каменных числилось 627.
Ф.П. Хитровский

На порубежье встречались два века: девятнадцатый поджидал седока, а молодой двадцатый робко позванивал первыми трамваями

Two centuries met at a frontier line: the 19th was waiting for a fare, while the young, the 20th, was timidly ringing with the first trams

Краевед Александр
Серафимович Гациский

Alexandr Serafimovitch
Gatsisky, a student of local lore

Неприятно-странно
положение нашего театра: он
имеет труппу, какой
решительно нет ни на одном
провинциальном театре:
Соколов, Трусов и Стрелкова
1-я не испортят никакого
водевиля; оркестр из 30
человек не оскорбит ни одной
нотой вашего слуха. Конечно,
театр иногда, благодаря
лампам, как чичиковский
Петрушка, имеет свой
собственный запах, конечно,
он ветх, не совсем опрятен,
но надобно быть
снисходительным, и вправе
ли мы быть взыскательными,
когда равнодушие, или,
лучше сказать, холодность
наша и следствие их -
необыкновенная скудность
доходов - лишает средств
к существованию; надобно
еще удивляться, как может
в настоящее время держаться
театр.
*Нижегородские губернские
ведомости, 1847, N 37*

горячо люблю и мою Нижегородскую Азию». И он ей служил предание и честно. О том свидетельствуют не потерявшие своей познавательной ценности десять «Нижегородских сборников», три выпуска «Нижегородки», «Нижегородский летописец», а еще — «Люди нижегородского Поволжья», «Нижегородский театр», книга, которая увидела свет в 1867 году и ведет свой рассказ об истоках местного театра, что возник в 1798 году из крепостной труппы князя Николая Григорьевича Шаховского.

Круто спускается к подолу
приволжских гор старинный
Почаинский съезд

The ancient Potchaina Slope
goes down steeply to the foot
of the Volga mountains

Театр попачалу находился в княжеском имении Юсупово, близ городка Ардатова, и выезжал на ежегодные ярмарочные гастроли в приволжский Макарьев. С 1811 года, как свидетельствует А.С. Гациский, театр Шаховского обосновался на «постоянное жительство» в Нижнем.

Александр Серафимович оставил описание этого «храма искусств»: «Я сам еще живо помню это мрачное неуклюжее строение, с запахом лампового масла, разящим еще на улице, с толстыми, без всяких риторических затей, выбеленными бревнами, связывавшими стойлообразные ложи и поддерживавшими крышу…»

На заре театральной жизни города в этой деревянной «хромине» ставили пьесы Сумарокова, Княжнина, Фонвизина и плодовитого А.Шаховского… Актеры того давнего крепостного театра: Залесский, Завидов, Стрелкова… Что нам ныне скажут их имена, сохраненные лишь архивами? Не увидеть лиц, не услышать голосов. Остались смутные предания, ветхие и сбивчивые обрывки воспоминаний, уверения современников, что они-де властвовали над душами, волновали зал, вызывая в нем то смех, то слезы, погружали его в раздумья…

Известно, что для крепостной труппы сзади театра, на Жуковской улице, был построен деревянный дом. Актрисы-девушки содержались в нем под замком, под неусыпным оком «тетушек». Когда им исполнялось лет двадцать пять, князь вызывал холостых актеров и спрашивал, кому какая нравится. Играли «крепостную» свадьбу.

И все же театр посеял добро. Ведь на его сцене, хмуро освещенной лампами, играли, несомненно, истинные таланты! Из крепостных театральных династий выходили потом великие актеры.

«Бугры» (Ямские улицы) и соседние кварталы имели много трактиров, портерных и пивных самого низшего пошиба. Здесь было средоточие пресловутых нижегородских «шалманов» (от волжского термина «шалман» - круговорот на быстром течении). В таких притонах, где все шло ходуном, охмелевшему посетителю специальные люди меняли хорошую одежду на поношенную, последнюю еще раз на лохмотья, и в конце концов полуголый «гость» выталкивался на улицу.
Д.Н. Смирнов

Ильинская улица - улица добротных купеческих особняков

Ilyinskaya street is a street of durable mansions of the merchantry

Церковь св. пророка Ильи

Вехи истории Нижнего Новгорода мы можем обозначать «главами» — «время Даля», «время Мельникова-Печерского», «время Короленко»...

Между улицами Белинского и Горького — зеленый уголок старого Нижнего. Это ныне парк имени И.П.Кулибина, а до 1930-х годов — городское кладбище с церковью Петра и Павла. Когда-то это было загородное место, Варварское поле, где и было заложено в 1775 году Всесвятское, или Петропавловское кладбище. Здесь более чем за полтора века захоронено не одно поколение нижегородцев.

От прошлых погребений сохранился памятный знак над местом могилы бабушки М.Горького — А.И.Кашириной и мемориал, посвященный памяти

В любой сезон года нижегородские улицы, кроме часов, когда чиновники шли на службу и домой, казались пустынными. Глаз не видел магазинов или лавок; почти совершенно отсутствовали вывески и объявления ремесленников. Торговля производилась исключительно в рядах по Рождественской улице (Нижний посад) и раз в неделю по средам на крестьянском привозном базаре. Всякие наружные вывески ремесленных заведений на стенах домов, воротах и заборах категорически запрещались еще со времен Анны и Елизаветы. Правда, последняя сделала исключение для необходимой в городском быту профессии - гробовщика. Но императрица поставила условием не изображать на вывеске эмблемы производства - гроб. Екатерина подтвердила распоряжение предшественницы, но добавила, что позволяет рядом с фамилией гробовщика рисовать красный сундук или большую шкатулку. Императорский указ 1780 года наконец разрешил всякие лавочные и ремесленные вывески...
Д.Н. Смирнов

нашего знаменитого земляка Ивана Петровича Кулибина. Он находится почти напротив паперти Петропавловской церкви, возобновленной в этом уголке города в 1782 году.

Как известно, после встречи с императрицей Екатериной Великой Кулибин получил приглашение работать в Петербурге главным механиком Палат Российской Академии наук. Но служба в столице принесла Ивану

Знаменитый механик Иван
Петрович Кулибин

Ivan Petrovich Kulibin, a famous
self-taught inventor

Иван Петрович Кулибин об
изобретенном им судне:
«Сей практический опыт
машинного судна открыл мне
путь и доказал возможность
к построению
и произведению в действие
с наилучшим успехом других
машинных судов на реке
Волге...»

I.P.Kulibin said about the
machine boat invented by him:
«This practical experience of
creating the machine boat
proved that it is quite possible
to successfully make and put
into practice other types of
machine boats on the Volga
river...»

Петровичу немало горьких дней. Ни самоходное судно Кулибина, ни одноарочный мост живого воплощения не нашли. Огромное количество идей осталось на чертежах, в тишине архивов.

Спустя тридцать лет, в 1801 году, выдающийся механик возвратился в родной город, где прожил еще семнадцать лет на Ильинке.

Сейчас разве что с улыбкой можно читать про «беды» прадедов наших, печалившихся о том, что Нижний Новгород, несмотря на несколько шумных ярмарочных недель, проживал в первой половине XIX века очень смиренно и патриархально. Среди краеведческих курьезов можно отыскать и такой: обыватели были очень недовольны, когда «отцы города» начали мостить главные улицы. Они ворчали на «отцов», что-де бренчание колес на булыжниках — это несносное мучение, адовы муки, нарушающие привычную

Проект одноарочного моста
И.П.Кулибина

Design of a one-arched bridge
by I.P.Kulibin

родную тишину. И дворянские усадьбы и дома простых горожан почивали среди блаженного покоя садов.

Волжский плес не оглушался свистками пароходов. Река была чиста, приветлива, целомудренна, окрыленная белизною парусов. Пароходы, эти плавающие «самовары», прижились в «волжской столице» не сразу. Считалось, что они изведут в Волге-матушке рыбу. Но время шло. Новое входило в привычный быт. А пароходы неторопливо завоевывали волжские просторы. Одно за одним возникали пароходные общества: «По Волге», «Кавказ и Меркурий», «Самолет»…

«Все флаги» шли в гости к ярмарочному Нижнему, город и сам начинал становиться «верфью Волги». Задымили в 1849 году трубы Сормовского завода, основанного известным предпринимателем Бенардаки. Затем строится завод Колчина, что позднее перейдет к Устину Саввичу Курбатову.

На этих двух заводах будет работать выдающийся изобретатель Василий Иванович Калашников, родом из древнего Углича.

Ему принадлежат заслуги в усовершенствовании нефтяной форсунки, разработке новых типов машин. Истинный новатор, механик-конструктор В.И.Калашников примет участие в постройке и налаживании первого в мире завода по производству смазочных масел. Он организует и станет редактировать первый в России журнал речников, который назывался «Нижегородский вестник пароходства и промышленности».

Годы жизни Василия Ивановича Калашникова, 1849-1908 — это та эпоха, когда пароходы на Волге из неуклюжих и дымных судов постепенно превращались в красавцев с разумным комфортом и легкостью корабельной архитектуры, которая неповторима на старых судах предреволюционной постройки.

Они сохранились лишь на открытках, на кинолентах…

Жаль, что так и не решился вопрос о создании на нижегородском рейде музея Волжского пароходства, о сохранении хотя бы двух — трех старых пароходов! Ведь их надо видеть на родном просторе, на живом фоне берегов, среди запахов и ветров Волги.

Волга не только «главная улица России», она от века и главная улица нашего города. Он рожден этой рекой, он привык к ее причалам. Дыхание свободного и просторного плеса входит поутру на городские улицы, освежая их волглым ветром.

Пароходы старейшего «О-ва по Волге 1843 года» были окрашены в белый цвет, но имели черные днища. Пароходы общества «Кавказ и Меркурий» отличались сплошным белоснежным колером, «Самолетские» - имели красную, а «Компании Зевеке» - светло-брусничную окраску. Каждое крупное пароходное предприятие имело свою постоянную публику. На меркурьевских пароходах ездила «красная подкладка» - особы первых четырех классов - генералы, крупное чиновничество и аристократы, нуждавшиеся в хорошем обществе. «Самолет» был любим лицами свободных профессий. На его пароходах можно было наверняка встретить художников, артистов, литераторов, адвокатов. Пароходы «Общества по Волге» наполняли чиновники средней руки, коммивояжеры, туристы разных сословий, студенты, учащиеся. Компания «Зевеке» возила солидную купеческую публику, губернских и сельских «батюшек», мелких чиновников из захолустья…
Д.Н. Смирнов

Напольно-Острожная улица, окраинная в Нижнем начала XX века

Napolno-Ostrozhnaya (Jail-in-the-Frields) Street on the outskirts of Nizhny Novgorod in early 20th century

Сохранилась поэзия старых нижегородских улиц. Напевно, полногласно проплывает слово: Почайна… Хранят память о своем создании такие наименования, как Зеленский съезд, Лыкова дамба.

Время стоит за именами. Щелоков хутор — когда-то загородная «резиденция» бакалейщика Щелокова; Звездинка сохранила память о купце Звездине и овраге, что именовался так же; Ковалихинская — напомнит о крохотной шустрой речонке, что бежала по дну оврага, по окраинам которого жили кузнецы — ковали. Кожевенный, Рыбный и Плотничный переулки поведают о родовых занятиях их обитателей. Все это древние, коренные имена!

Малая и Большая Ямские — они лежали на самом выезде из города —

...За большими купеческими «шмелевскими» домами садится солнце. После тяжелого рабочего дня жители Ковалихинской окраины собираются группами около своих домов, в садах, на лужайках. На ступеньках парадного крыльца, обе двери которого широко распахивались наружу, размещается весь дом - мужчины, женщины, девицы. Смех, пение хором под аккомпанемент дешевой гитары и перебранки подвыпивших ковалей раздаются дотемна.
Ф.П.Хитровский

и теперь рассказывают о тех, кто жил здесь, возле самой городской заставы. Ныне это, пожалуй, самый незатронутый новостройками район старого Нижнего. Конечно, его очередь недалека! Но здешние деревянные двухэтажные дома скрывают за собой уютные дедовские дворики. Там по весне в лиловом и белом сне томится и празднует свой час сирень! Там по осени пахнет прохладою горьковатой антоновки.

Да, век кончается, город перестраивается, но эти нижегородские дворики, эти деревянные улочки были и во многом есть непарадное и подлинное лицо старого Нижнего.

Улица Тихоновская была названа улицей Ульянова в честь педагога Ильи Николаевича Ульянова, отца В.И.Ленина. Улица начинается у здания бывшей Нижегородской мужской гимназии.

Здесь, в квартире учителя гимназии И.Н.Ульянова, родились старшие дети в его семье — Анна и Александр. Владимир родился через полгода после отъезда Ульяновых в Симбирск. Они приехали в Нижний в 1863 году, а покинули его сентябрьской осенью 1869 года.

В здании гимназии размещался знаменитый на всю Россию и в Европе Нижегородский кружок любителей физики и астрономии.

Это объединение было создано в 1888 году. Оно было первым таким кружком в пределах империи. Кружок поддерживал прочные связи не только с научными центрами в своем государстве, но и с иностранными астрономическими обсерваториями. С 1895 года кружок начал выпуск ежегодного и единственного тогда в стране «Русского астрономического календаря». Душою и организаторами этого общества были: С.В.Щербаков, И.И.Шенрок, В.В. Адрианов, В.В.Мурашов и Г.Г.Горинов. Почетными членами кружка являлись Д.И.Менделеев и В.Г.Короленко. С 1893 года с нижегородскими энтузиастами постоянно поддерживал отношения К.Э.Циолковский.

Декабрист-нижегородец князь С.П.Трубецкой

Prince S.P.Trubetskoy, a Decembrist

Просторная площадь перед тюремным замком шумела прежде разноголосицей торговых лавок

A spacious square in front of the Prison Castle was fussy and noisy with different sounds of shops

Лыкова дамба, выходящая
к церкви Жен-Мироносиц,
накрепко соединила
рассеченные Почаинским
оврагом две части старого
города

Lykova Damba leading to the
Wives-Peacebearers Church
tightly connected the two parts
of the old city divided by the
Potchaina Ravine

Учеником Нижегородской гимназии был Яков Свердлов. Сближения, памятуя Пушкина, могут быть страшными. Так, на том месте, где родился выбранный диктатором восстания 14 декабря 1825 года князь Сергей Петрович Трубецкой, стоит монумент Я.М.Свердлову. Здесь, на углу Большой Покровки и бывшей Дворянской (ныне Октябрьской) улицы, находилась усадьба князей Трубецких.

Трубецкой — выдающийся общественный деятель минувшего века и

заметный русский мемуарист, детство и раннюю юность провел в Нижнем. Потом его ждали славные дела — участие в антинаполеоновских войнах: Бородино, Кульм, Париж...

Если продолжить тему о декабристах-нижегородцах, то надо вспомнить, что урожемцем этой земли был один из руководителей Южного общества Михаил Павлович Бестужев-Рюмин. Нижегородским дворянином числился князь Федор Петрович Шаховской, которого друзья по тайному обществу называли «тигром».

Губернатор Крюков был отцом двух друзей Павла Пестеля — Александра и Николая Крюковых. Владельцем нижегородских вотчин являлся Никита Муравьев. Он считал, что, в случае удачного восстания, столицей империи должен быть всенародно объявлен Нижний Новгород. Кстати, эту же мысль проводил и Пестель.

Александр Николаевич Муравьев, нижегородский губернатор с середины 1850-х годов, организатор первых декабристских обществ, был, наверное, самым «литературно прославленным»: о нем писал пьесу молодой В.Г.Белинский, благодарно вспоминали Владимир Короленко и Александр Дюма, Тарас Шевченко.

Рождественская улица всегда была похожа на сплошной торговый ряд

Rozhdestvenskaya streei had always looked like a continuous trade row

Библиотек в Н.Новгороде 15; самая богатая - городская общественная с кабинетом для чтения (бесплатно). Народная бесплатная библиотека и читальня общества распространения начального народного образования открыта в 1895 г. Остальные библиотеки - при учебных обществах, учебных заведениях и клубах. Интересна библиотека А.С. Гациского (при архивной комиссии).
Брокгауз

В старом Нижнем, кажется, с любой точки можно писать картины!

It seems that in the old Nizhny Novgorod artists could paint their pictures from every point

Каждый русский град имел своих «иконописцев». На холмах Нижнего писали свои картины и этюды Саврасов, братья Чернецовы, Рерих, Юон, Боголюбов... Свое «сказочное» восприятие его оставила нам нижегородка Татьяна Маврина. С великой любовью над образами отчего города трудились наши талантливые земляки-живописцы: Хныгин и Каманин, Кириллов и Мартынов.

Старый Нижний навсегда связан с именами двух выдающихся фотохудожников — Максима Дмитриева и Андрея Карелина. Благодаря им мы с живостью входим в город более чем столетней давности, смотрим в лица нижегородцев, что ушли из жизни век назад, видим улицы и картины быта.

Краеведение — дело благородное, рожденное глубоким искренним чувством. Это история отечества, но не в далеких отблесках зарниц, а по-домашнему родная, потому что гордость и зримые утраты живут в ней рядышком, возле твоего дома или на соседней улице. И есть в ней свои легенды и предания, свои герои. Наверное, такой фигурой стал для нас Максим Петрович Дмитриев. Он родился, как и его собрат и во многом учитель Карелин, в Тамбовской губернии. Жизнь прожил долгую: умер в девяносто лет. Снимал молодого Шаляпина и только еще обретавшего славу Ивана Бунина, а дожил до Великой Отечественной войны...

Андрей Осипович Карелин поселился в Нижнем в 1866 году, а прежде, двумя годами ранее, он окончил Императорскую Академию художеств.

Связь творчества художника-профессионала с молодым искусством фотографии — явление довольно обычное для тех лет. В центре Нижнего Новгорода, на Осыпной улице, открывается вскоре ателье с широковещательной надписью «Фотография и живопись художника А.Карелина». Андрей Оси-

Церковь Козьмы и Демьяна
на Сафроновской площади

пович, продолжая оставаться живописцем, пытливо и творчески подошел к возможностям фотоаппарата, что позволило ему обрести в своих работах глубину изображаемого, многоплановость и объемность.

Да, Карелин во многом оставался художником. Молодая фотография еще не простилась с постановочностью композиций. Но нижегородский мастер в лучших работах преодолевал статичность. Он удивительно чувствовал свет и научился превосходно использовать его в сложных многофигурных работах. Он стал в равной мере талантливым портретистом, жанристом и певцом городского пейзажа.

С именами А.О.Карелина и его сына Андрея Андреевича, также живописца, связаны первые попытки организации в губернском городе объедине-

Андрей Осипович Карелин

Andrey Osipovitch Karelin

Максим Петрович Дмитриев

Maxim Petrovitch Dmitrlev

ния художников — открытие первых местных художественных выставок. Надо сказать, что А.А.Карелин и академик живописи, уроженец нижегородской земли Н.А.Кошелев стояли у истоков создания в нашем городе художественного музея, который первое время (с 1896 г.) размещал свою экспозицию в Дмитриевской башне.

Начало объединения местных художников, помимо Карелиных, связано с именами К.П.Померанцева, П.В.Нейского, А.П.Мельникова, В.А.Ликина и ряда других живописцев «старой школы».

В квартире и мастерской Андрея Осиповича, где ныне находится Нижегородское художественное училище (ул.Варварская, 8а), побывали многие столичные знаменитости из числа классиков русской живописи: И.Е.Репин, К.Е.Маковский, В.В.Верещагин и другие известные мастера.

А.О.Карелин был широко известен в России как знаток и собиратель предметов народного искусства, старинного костюма, домашней утвари, икон древнего письма.

Известный коллекционер и меценат А.А.Бахрушин писал, вспоминая встречу у Карелина: «Собрание его в Н.Новгороде видел один раз, но все интересующиеся старинными русскими вещами перебывали у него, приезжая для этой цели иной раз издалека».

Недавно на здании, где жил Карелин, и на доме по бывшей Осыпной, где работал многие годы Дмитриев, установлены памятные доски.

Оба они были детьми крепостных крестьянок и помещиков. Максим Дмитриев совсем малым ребенком был отдан на воспитание бездетному крестьянину Е.Куприянову на Рязанщину. Дальше шло житие «в людях»: посудная лавка, переплетная мастерская в Москве, учение у фотографа М.П.Настюкова. Он начинает трудиться наклейщиком фотографий, познает навыки работы ретушера, ходит в воскресные классы Строгановского училища. Летом 1874 года Дмитриев, посланный хозяином в отделение его фотографии на всероссийской ярмарке, впервые видит Нижний.

Прошло всего два года, и он переезжает в наш город, работая поначалу ретушером у фотографа Лейбовского. Вскоре судьба свела Дмитриева с А.О.Карелиным. Было несколько лет поисков «своего дела». С 1886 года

Дмитриев окончательно связывает свою жизнь с Нижегородским краем. Вскоре на Осыпной открывается ателье М.П. Дмитриева, которое просуществовало более сорока лет и приобрело европейскую известность.

Вечная благодарность М.П.Дмитриеву за то, что, будучи замечательным мастером портрета, он оставил потомкам бесценную галерею: с его работ на нас смотрят Короленко и Менделеев, Левитан и Горький, Маковский и Бунин, Шаляпин и Гиляровский...

Безмерно велика заслуга Максима Петровича в том, что он создал и портрет эпохи в лицах зачастую безвестных волгарей: ремесленников и босяков, купцов и страшников, староверок из керженских скитов и умирающих от голода крестьян в страшный неурожай 1891-1892 года.

Сроднившись с Волгою душой, он в течение ряда лет совершает «тихий» подвиг: через каждые 4—5 километров снимает берега великой реки от самых верховий до островов дельты. Значение этой волжской «хрестоматии» для нас, людей конца XX века, на чьих глазах совершалось планомерное осквернение «матери российских рек», вообще не поддается оценке.

За последние полстолетия в результате «преобразования природы» исчез исторический ландшафт исконной Волги! Ушли на дно «морей» луга, селения, прибрежные посады городков. После этого национального самоубийства старые пластины Максима Дмитриева остались зримой памятью минувших времен, сводом наших общероссийских утрат.

Почти не стало того поколения нижегородцев, что помнило Нижний начала века. Эти люди были как бы живой душою прадедовских переулков и площадей.

Кунавинская слобода

Settelement of Kunavino

Капитаны разных пароходств тоже различались между собой. «Меркурьевцы» щеголяли военной выправкой, белоснежными кителями и кортиками у бедра. «Самолетские» капитаны отличались толщиной и дородностью, многочадными семьями и умением «занимать» пассажиров разговорами. «Волжские», - среди которых имелось наибольшее количество немцев, - держали рекорд по части употребления спиртных напитков. «Зевекинские» капитаны считались «простяками» - в кителях чувствовали себя неловко, предпочитая в жару надевать чесучевые пиджаки.
Д.Н. Смирнов

Храм на городском кладбище,
последний построенный
перед революцией в Нижнем

A temple in the city cemetry,
the last one built in Nizhny
Novgorod before the revolution

    Еще не так далеки дни, когда старожилы узнавали где-то на перекрестке композитора Касьянова или с кем-то шумно беседующего писателя Кочина, остановившегося в размышлении профессора Волского, оглядывались на актрису Самарину.

    Сейчас поименно вспоминаешь их, приходя под замшелые березы городского кладбища за красною кирпичною стеной. Комплекс «нижегородского некрополя» — едва ли не последняя архитектурная «премьера» перед Октябрьским переворотом.

    Городское кладбище здесь, возле более старого «бугровского скита», где обретали вечный покой нижегородские раскольники, существовало еще в конце прошлого века. Церковь Успения Божией Матери, главные ворота,

подсобные здания строились на средства В.М.Рукавишниковой (Бурмистровой) по проекту академика В.А.Покровского уже в годы первой мировой войны.

Захоронения совершаются и поныне. Здесь со временем создался некрополь, где покоятся многие славные земляки.

В 1957 году с ликвидированного кладбища Крестовоздвиженского монастыря сюда были перенесены останки писателя П.И.Мельникова-Печерского, изобретателя В.И.Калашникова, Катюши Пешковой, декабриста И.А.Анненкова и его жены П.Е.Анненковой, урожденной Полины Гебль. После долгой сибирской ссылки супруги переехали в Нижний и жили на Большой Печерке. Анненков прославился как один из активных участников крестьянской реформы 1861 года. Нижегородские дворяне несколько раз выбирали Ивана Александровича уездным предводителем. Бродя по этому погосту, встречаешь славные имена: конструктора крылатых судов Р.Е.Алексеева, академиков А.А.Андронова, Г.А.Разуваева, член-корреспондента АН СССР С.И.Архангельского, фотохудожника М.П.Дмитриева, писателя Н.И.Кочина, режиссера Н.И.Собольщикова-Самарина, общественных деятелей, героев Великой Отечественной войны, краеведов, врачей, актеров, художников.

На нижегородской земле закончил свой нелегкий путь великий генетик Сергей Сергеевич Четвериков.

В отдаленной части кладбища есть место, где должен быть поставлен особый мемориал. Там, в заранее выкопанных траншеях, хоронили нижегородцев, расстрелянных в застенках в тридцатые годы. Поклонимся их тяжкой судьбе и мученической кончине!

...И все же на прощание, в предзакатную пору, хочется выйти к Откосу, к Волге, дыхание которой живет и здравствует в тишине даже самых отдаленных улочек! Сколько сказано добрых слов об этом древнем, славном граде Нижнем! На страницах книги прозвучало немало голосов, что отделены от нас неумолимым временем.

Но вспомним еще строки — русского писателя Василия Немировича-Данченко.

«Едва ли какой-нибудь другой русский город может похвалиться такою широкою панорамою, такими необычайно красивыми видами, как Нижний. По крайней мере, я просто замер, остановясь на краю откоса...

Передо мною на громадное расстояние развернулась даль противоположного берега Волги... Воды ее только что вошли в берега; и вся эта зеленая мягкая понизь сверкала черточками, щитами и излучинами еще оставшихся в ней разливов. Под блеском заката края этих щитов золотились, и там, где самой понизи уже видно не было, она сливалась в одну непроглядную синеву... В первое время не знаешь, куда смотреть, на чем остановиться. Жаль оторваться от этих синеющих далей, хочется разглядеть и прямо внизу под собой маленькие пароходы, мокшаны и беляны, причаливания к берегу...

Пахнет рекой и весенней зеленью. Свежо как! Эту ширь не только видишь — ее чувствуешь. Закрой глаза — и по запаху воды и луговых цветов, по спокойному шелесту ветра и Бог знает по чему еще узнаешь этот простор. Мне кажется, здесь его и слепой угадает!»

Василий Розанов

Из очерка «Русский Нил»

«Русским Нилом» мне хочется назвать нашу Волгу. Что такое Нил - не в географическом и физическом своем значении, а в том другом и более глубоком, какое ему придал живший по берегам его человек? «Великая, священная река», подобно тому, как мы говорим «святая Русь», в применении тоже к физическому очерку страны и народа. Нил, однако, звался «священным» не за одни священные предания, связанные с ним и приуроченные к городам, расположенным на нем, а за это огромное тело своих вод, периодически выступавших из берегов и оплодотворявших всю страну. Но и Волга наша издревле получила прозвание «кормилицы». «Кормилица-Волга»... Так почувствовал ее народ в отношении к своему собирательному, множественному, умирающему и рождающемуся существу. «Мы рождаемся, умираем, как мухи, а она, *матушка*, все стоит (течет)» - так определил смертный и кратковременный человек свое отношение к ней, как к чему-то вечному и бессмертному, как к вечно сущему и живому, *тельному* условию своего бытия и своей работы. «Мы - дети ее; кормимся ею. Она - наша *матушка и кормилица*». Что-то неизмеримое, вечное, питающее... <...>

Много священного и чего-то хозяйственного. И «кормилицею», и «матушкою» народ наш зовет великую реку за то, что она родит из себя какое-то неизмеримое «хозяйство», в котором есть приложение и полуслепому 80-летнему старику, чинящему невод, и богачу, ведущему многомиллионные обороты: и все это «хозяйство» связано и развязано, обобщено одним духом и одною питающею влагою вот этого тела - Волги, и вместе бесконечно разнообразно, свободно, то тихо, задумчиво, то шумно и хлопотливо, смотря по индивидуальности участвующих в «хозяйстве» лиц и по избранной в этом «хозяйстве» отрасли. И вот наш народ, все условия работы которого так тяжки по физической природе страны и климату и который так беден, назвал с неизмеримою благодарностью великую реку священными именами за ту помощь в работе, какую она дает ему, и за те неисчислимые источники пропитания, какие она открыла ему в разнообразных промыслах, с нею связанных. И «матушка» она, и «кормилица» она потому, что открыла для человеческого труда неизмеримое поприще, все двинув собою, и как-то благородно двинув, мягко, неторопливо, непринужденно, неповелительно. В этом ее колорит.

...Все на Волге мягко, широко, хорошо. Века тянулись как мгла, и вот оживала одна деревенька, шевельнулось село; там один промысел, здесь - другой. Всех поманила Волга обещанием прибытка, обещанием лучшего быта, лучшего хозяйства, нарядного домика, хорошо разработанного огородика. И за этот-то мягкий, благородный колорит воздействия народ и придал ей эпитеты чего-то родного, а не властительного, не господского... <...>

Детство мое все прошло на берегах Волги - детство и юность. Кострома, Симбирск и Нижний - это такие три эпохи «переживаний», каких я не испытывал уже в последующей жизни...

<...> ...Вот и красавец Нижний! Я посетил его. Как он переменился, помолодел, покрасивел с 1878 г., когда я его хорошо знал. Теперь там действует фуникулер, почему-то называемый здесь элеватором, вагончики на зубчатом рельсе, подымающие почти вертикально вверх. Это заменяет прежний медленный и трудный подъем на гору, на которой расположен город. Над гимназией те же две стрелки, к четырем концам которых прикреплены инициалы стран горизонта: «С., Ю., В., З.». Я помню, что учеником этой гимназии читал роман г.Боборыкина «В путь-дорогу», и, по словам автора, учившегося здесь, его товарищи в ту пору переводили эти буквы «юношей велено сечь зело» (вместо: «север, юг, восток, запад»). Милое остроумие, едва ли очень утешавшее тех учеников, на долю которых выпадали роковые две буквы.

Я учился в этой гимназии в директорство Садокова, который за административные таланты был сделан впоследствии помощником попечителя московского учебного округа. Отличие для директора гимназии неслыханное и небывалое никогда! Действительно, он был очень умен. Деятелен, дальнозорок, предусмотрителен, влиятелен, и даже очень влиятелен, в городе. Голос его, авторитет его везде имели вес. В трудах он был неутомим. Гуманен. Но я имею грех, что почему-то никогда не любил его. Не любил просто потому, что боялся и что он был «начальство». Нужно его было передвинуть не на пост *помощника* попечителя, а прямо попечителя; тогда этот крепкий русский человек, обаятельно спокойный и ласковый, с железной волей и неустанный с утра до ночи, несмотря на 60 лет, сделал бы очень многое для образования в семи или восьми губерниях, подведомственных московскому попечителю. Но в качестве «помощника» он должен был стать только зрителем тех проделок и гешефтмахерств, какие его начальник, граф, утонувший в долговых обязательствах, проделывал на своем «ответственном посту» с помощью правителя своей канцелярии. Мир праху их всех…

Темное время, не любимое мною.

***

Дни и ночи плывешь по Волге… Все так же рассекают спицы пароходных колес ее воды… Солнце всходит и заходит, и кажется, нет конца этой Волге… «Мир Волги» - как это идет! Свой особый, замкнутый, отдельный и самостоятельный мир. Как давно следовало бы не разделять на губернии этот мир, до того связанный и единый, до того общий и нераздельный, а слить его в одно!

<…>…Начиная с Нижнего берега Волги резко изменяются: они становятся пустынными и мало заселены, в то же время геологически красивее. Не видно этих постоянных деревенек, громадных торговых сел и частых городов. Чувствуешь, что удаляешься из какого-то людного и деятельного центра на окраину, менее культурную и менее историческую. На Волге в самом деле сливаются Великороссия, славянщина с обширным мусульманско-монгольским миром, который здесь начинается, уходя средоточиями своими в далекую Азию. Какой тоже мир, какая древность - другой самостоятельный «столп мира», как Европа и христианство.

Almost eight centuries stands Nizhny Novgorod at the confluence point of the Oka and the Volga rivers. Its long history is a creative labour chronicle of many generations of the Nizhny Novgorod residents.

The city founded in 1221 by the Prince Yury Vsevolodovitch, great grandson of Vladimir Monomakh, from the very first decades of its existence became famous not only for its warriors' valour and determination with which they defended the eastern frontiers of Russia but also for its active trade and handicrafts. In the 14th century is became the capital of the qreat Nizhny Novgorod Principality being a rival of Moscow and Tver.

In 1612 responding to the call of Kuzma Minin, starosta of the zemstvo, the Nizhny Novgorod residents started organizing a people's volunteer corps to liberate Moscow captured by the Polish-Lithuanian gentry. Other towns joined them. The head of the corps was the Prince Dmitry Pozharsky. Moscow was liberated, and the tzar Mikhail Fyodorovitch, the first representative of the Romanov dynasty unanimously supported by the Russian people ascended the throne. It is since that time that Nizhny Novgorod became a symbol of patriotism and national unity.

The city is famous for its architectural monuments. They are mostly situated in the old Nizhny Novgorod, in a historically formed centre of the city. Apart from the well-known Kremlin (the 16th century), there are also some dwelling houses which are still intact. There is an exrtemely beautiful Archangel Cathedral (1631), ensembles of Petchersky and Blagovesctchenye cloisters (the 17th century). The Rozhdestvenskaya (Stroganov) Church is a unique monument of Russian architecture; it was erected in 1719.

Buildings representing different architectural styles (baroque, neo-classicism, pseudo-Russian, constructivism) are adjacent to each other in the streets of old Nizhny. The mansion of Rukavishnikovs on the Otkos, the drama theatre and the bank in Bolshaya Pokrovka street are of extreme interest.

Old Nizhny is a «literary cross-roads» of Russia.

Maxim Gorky was born here (the city was named after him in 1932 and till 1990 it was called Gorky). He lived and worked here till 1904. A literary critic N.Dobrolyubov and a writer-ethnographer P.Melnikov-Petchersky were born here. V.Dal, the author of the «Defining Dictionary of the Live Great Russian Language», and a democratic writer V.Korolenko were living here for a long time. The destiny of the great Ukranian poet T.Shevtchenko is closely connected with Nizhny. The city was visited by N.Karamzin, L.Tolstoy, A.Tchekhov...

Speaking of the distinguished Nizhny Novgorod residents one cannot but recollect those who administered power of the city, headed its life, contributed to its development. There were outstanding personalities among the city governors! We can mention here Yury Rzhevsky, a brave captain of the Preobrazhensky regiment, a henchman of Peter the Great; Alexey Stupishin, companion-in-arms of the great military commander Rumyantsev; zealous Andrey Runovsky who organized a people's volunteer corps to fight against Napoleon; Muravyov who was appointed the Governor after his Siberian exile; and uncommonly determined and active Nikolay Baranov, who was long remembered by the Nizhny Novgorod residents...

The Nizhny Novgorod Fair founded in 1817 was well known to trade people all over the world. The merchants used to say: «Moscow is a heart of Russia; St.Petersburg is its head; Nizhny Novgorod is its pocket!»

The Fair situated at the confluence point of the Oka and Volga rivers was a cross-roads for the riches of Siberia, China, Middle Asia, the Caucasus and the goods of Western Europe. The engineer Antoine Betankur was responsible for planning and erecting the main buildings of the Fair ensemble.

Montferrand, the architect of the St.Isaac's Cathedral in St.Petersburg, prepared the design of the Spassky Cathedral for the Fair (now it is the Cathedral of Nizhny Novgorod). Since the late 1890s the world grain prices were established in the Nizhny Novgorod Fair; brokers of the biggest exchanges waited, holding their breath, for the results of wholesale trades in Nizhny Novgorod.

However, the country which separated itself from the outside world with the «iron curtain» did not need the Fair. Nowadays, thanks to the efforts of the city authorities, the Fair is again acquiring its role of the international trading centre.

The enormous scientiflc and industrial potential of Nizhny Novgorod attracts businessmen from different regions. Now there are headquarters and chapters of international organizations in the city. Different companies with joint capital spring to life every now and then. The Nizhny Novgorod residents possess good traditions in this respect: it was here, in Nizhny Novgorod, that Russian merchants and manufacturers demonstrated vividly and strikingly their strength, wide scope and enterprise to the whole world.

The memories of many glorious sons of Russia are impressed in the streets of old Nizhny. The city on the Volga river gave birth to N.Lobatchevsky, a genius mathematician; I.Kulibin, a famous mechanic of the 18th century; P.Nesterov, a pilot who was the first to perform the «dead loop»; P.Strepetova, an actress; A.Karelin and M.Dmitriyev, the well-known pioneers of photography, who preserved for their descendants the image of the city of the late 1800s and the early 1900s. It is on the Nizhny Novgorod scene that the startling creative career of F.Shalyapin began. A.Dumas and T.Gauthier, T.Dreiser and A.Barbusse said good words about Nizhny Novgorod...

Old Nizhny consists of the small streets which are amazingly patriarchal and silent. There are plenty of wooden houses. In spring apple-trees and lilacs flourish in the yards. There are blocks full of merchant mansions, former bank buildings, trading offices and steamship-line companies.

Произведения и документы, цитируемые в настоящем издании

Белый А. Начало века. М., 1990.

Боборыкин П.Д. Воспоминания:
В 2-х т. Т.1. М., 1965.

Богородский Ф.С. Воспоминания художника.
М., 1959.

Волга от Твери до Астрахани. СПб., 1862.

Гиляровский В.А. Собр. соч. М., 1968.

Горький М. В людях: Повесть // Горький М.
Полн. собр. соч.: В 30-ти т. Т.13. М., 1951.

Горький М. Н.Е.Каронин-Петропавловский: Очерк
// Горький М. Полн. собр. соч.:
В 30-ти т. Т.10. М., 1951.

Грачева И. Волжский царь // Волга. 1994. №2.

Григорьев Ап.А. Избранные произведения.
Л., 1959.

Гудков Д.А. Н.И.Лобачевский. Загадки биографии.
Н.Новгород, 1992.

Иванов Е.П. Меткое московское слово. М., 1985.

История Нижегородского края в словаре
Брокгауза и Ефрона. Н.Новгород, 1993.

Кирьянов И.А. Основание Нижнего Новгорода //
Краеведческие чтения-91. Н.Новгород, 1991.

Константин Коровин вспоминает... М., 1991.

Корнилов Б.Н. Стихотворения и поэмы.
М.-Л., 1966.

Мельников А.П. Очерки бытовой истории
Нижегородской ярмарки. 1817-1917.
Н.Новгород, 1993.

Мельников А.П. Нижегородская старина:
Путеводитель в помощь экскурсантам.
Н.Новгород, 1891.

Мельников П. И. (Андрей Печерский). В лесах:
В 2-х кн. Кн.1, 2. Горький, 1976.

Мельников П.И. (Андрей Печерский). На горах:

В 2-х кн. Кн.1, 2. Горький, 1978.

Нижегородский край в документах, цифрах,
рассказах, мнениях. М., 1992.

Нижний Новгород в XVII веке. Горький, 1961.

Никулина-Косицкая Л.П. Автобиография //
Русская старина. 1878. Т.21.

Островский А.Н. Воспоминания // Полн. собр.
соч. Т.13. М., 1952.

Розанов В.В. Русский Нил: Очерк // Розанов В.В.
Сумерки просвещения. М., 1990.

Садовской Б.К. Записки // Русский архив.
Вып.1. М., 1991.

Седов А.В. Нижегородский подвиг В.И.Даля.
Н.Новгород, 1993.

Смирнов Д.Н. Картинки Нижегородского быта
XIX века. Горький, 1948.

Смирнов Д.Н. Очерки жизни и быта нижегородцев
XVII—XVIII веков. Горький, 1971.

Собольщиков-Самарин Н.И. Записки. Горький, 1960.

Соллогуб В.А. Тарантас // Соллогуб В.А. Три
повести. М., 1978.

Станюкович К.М. В далекие края // Станюкович
К.М. Полн. собр. соч. Т.5. СПб., 1907.

Стрепетова П.А. Минувшие дни: Воспоминания //
Театр и искусство. 1904. №27.

Хитровский Ф.П. Страницы из прошлого.
Горький, 1955.

Хлебников Велимир. Собр. соч.:
В 5-ти т. Т.5. Л., 1933.

Храмцовский Н.И. Краткий очерк истории и
описание Н.Новгорода: В 2-х ч. Ч.1. М.,1857.
Ч.2. М.,1859.

НИЖЕГОРОДПРОМСТРОЙБАНК
Акционерный инвестиционно-коммерческий промышленно-строительный банк по Нижегородской области

**Калошин
Егор Леонтьевич**
Председатель
правления банка

Нижегородпромстройбанк — крупнейший коммерчес-киий банк Нижегородской области и один из крупней-ших, стабильно развивающихся банков России. Учреж-ден 19 декабря 1991 года. За два с небольшим года работы банк успешно осуществил шесть эмиссий ак-ций, в результате чего первоначальный уставный фонд увеличен более чем в 100 раз и составил на 01.07.94 года 22 млрд.рублей, в том числе 1,5 млн. USD. За это же время Нижегородпромстройбанк значительно улуч-шил свои позиции среди 100 крупнейших банков Рос-сии и в настоящее время занимает 34 место по акти-вам, 14 место по капиталу банка, 13 место по прибыли. По удельному весу капитала банка в составе разме-щенных средств Нижегородпромстройбанк вышел на одно из первых мест в России, что свидетельствует о его надежности. С марта 1994 года Нижегородпром-стройбанк первым в Нижегородской области начал работать в системе SWIFT, что позволило значительно ускорить процесс международных расчетов. Работа в системе SWIFT обеспечивает банку высокую степень защиты информации. Установлены прямые корреспон-дентские отношения, с крупнейшими банками мира, в том числе:
— National Westminster Bank PLC, London;
— Banque Nationale de Paris, Paris;
— Deutsche Genossenschafts Bank, F/Main;
— Barclays Bank PLK, N.Y.;
— Kansallis-Osake-Pankki, Helsinki.
Нижегородпромстройбанк имеет Генеральную лицен-зию Центрального Банка России и с 27 августа 1993 года осуществляет все виды валютных операций, явля-ется членом Санкт-Петербургской валютной биржи.
Нижегородпромстройбанк сегодня — это:
— половина банковского оборота Нижегородс-кой области;
— двадцать три филиала в городах России;
— свыше 9 тыс.клиентов (большинство крупней-ших предприятий Н.Новгорода и области);
— свыше 50 тысяч вкладчиков.

603600, Нижний Новгород, ул.Грузинская, 21.
Тел: (8312) 33-95-44. Факс: (8312) 33-37-47, 33-43-11. Телекс: (8312) 151165 612616.

Nizhegorodpromstroybank Joint stock investment-commer-cial industrial-construction bank of Nizhegorodsky region. Chairman — Yegor Leontievitch Kaloshin.
Nizhegorodpromstroybank is the biggest commercial bank of N.Novgorod region and one of the biggest, continuously developing banks of Russia. Founded December 19,1991.During more than to years of business activity, the bank made successful headway of six share issues. Its collective investment fund increased more than 100 times and accounted for 22 billion rubles including 1,5 million USD on July 1, 1994. At the same time Nizhegorodprom-stroybank considerably improved its stand between 100 big banks of Russia and is currently placing 34 in assets, 14 in bank capital and 13 in profits. Nizhegorodpromstroy-bank takes one of the first places in Russia in ratio of bank capital to invested funds, which is indicative of its reliabili-ty. From March 1994 on Nizhegorodpromstroybank began to work in SWIFT system; it leaded to considerable accel-eration of international payments. Work in SWIFT system ensures high degree of information security. Established correspondent relations with the biggest world banks, including:
— National Westminster Bank PLC, London;
— Banque Nationale de Paris, Paris;
— Deutsche Genossenschafts Bank, F/Main;
— Barclays Bank PLK, N.Y.;
— Kansallis-Osake-Pankki, Helsinki. Nizhegorod-promstroybank has a general licence from Central Bank of Russia and till August 27,1993 realised all kinds of financial operations. Nizhegorodpromstroybank is a member of the St.Petersburg currency market.Nizhegorodpromstroybank represents:
— half of the current capital of the N.Novgorod region;
— twenty three branches in different cities of Russia;
— more than 9 million clients (the biggest enter prises of N.Novgorod province are between them);
— more than 50 thousand investors.
We work for the well-being and prosperity of Russia.

21 Groozinskaya st., Nizhny Novgorod, 603600, Russia.
Phone: (8312) 33-95-44. Fax: (8312) 33-37-47, 33-43-11.
Telex: (8312) 151165, 6126116.

Мы работаем во имя благополучия и процветания России!

Акционерный Нижегородский коммерческий банк «НКБ-ПРОГРЕСС»

Зеленов Владимир Иванович

Президент банка

«НКБ-Прогресс» — один из крупнейших банков в регионе, образовался 27 ноября 1990 года.
Уставной фонд — 2 млрд. 365 млн. рублей.
Капитал банка — 5 млрд. 812 млн. рублей.
Обороты банка — 575 млрд. рублей.
«НКБ-Прогресс» — универсальное финансовое учреждение. Все виды банковских операций в рублях и валюте. Среди коммерческих банков Нижегородского региона имеет самую большую действующую сеть филиалов и обменных пунктов.
Основа нашей политики — развитие экономики Волго-Вятского региона, поддержка предпринимательства, малого и среднего бизнеса, как можно более полное удовлетворение потребностей акционеров и клиентов в банковских услугах.
«НКБ-Прогресс» осуществляет:
— открытие расчетных и текущих счетов;
— открытие валютных счетов юридическим и физическим лицам;
— расчетно-кассовое обслуживание;
— размещение временно свободных денежных средств на депозитах;
— выдача рублевых и валютных кредитов;
— куплю-продажу СКВ и ценных бумаг;
— прием и хранение денежных вкладов от частных лиц в   рублях и валюте;
— расчеты через корреспондентские счета с банками России, стран ближнего и дальнего зарубежья;
— выпуск собственных векселей, учет векселей других банков;
— перевод валюты от частных лиц за рубеж и из-за рубежа;
— прием в доверительное управление (траст) денежных средств и акций своих клиентов.
«НКБ-Прогресс» имеет прямые корреспондентские отношения с крупнейшими зарубежными банками: Chase Manhattan Bank, National Westminster Bank, Banque Nationale de Paris, Deutsche Bank, Lombard Nat West Bank (Кипр) и другими.
Ускоренные платежи в течение 1-2 дней осуществляются через клиринговую сеть, охватывающую более 1000 ведущих банков России и стран СНГ.

Центральный офис: 603082, Нижний Новгород, Кремль, Дмитриевская башня. Тел.: (8312) 390696, 391708, 390858.
Факс: (8312) 390948. Телекс: 612852 СВ.

NKB Progress Joint stock commercial bank of Nizhny Novgorod, one of the biggest banks in the region, was founded on November 27, 1990. Chairman — Vladimir Ivanovitch Zelenov.
Collective investment fund — 2 billion 365 million rubles. Bank capital — 5 billion 812 million rubles. Current capital — 575 billion rubles. «NKB Progress» is a universal financial establishment. All kinds of bankings. It has the biggest working net of branches and currency exchange centers between commercial banks. The basis of our policy — development of Volgo-Vyatsky region economy, support of enterprising, small and middle business; as much as possible meeting the satisfaction of the needs of shareholders and clients using the banks sevices.
«NKB Progress» accomplishs:
— opening of settlement accounts and current accounts;
— opening of currency account to legal persons and individuals;
— making payments;
— placing of temporary available resources on deposits;
— granting of rubles and currency credits;
— buying and selling currency and negotiable securities;
— keeping individuals cash deposits in rubles and in currency;
— payments through correspondent accounts to banks in Russia, CIS countries and abroad;
— bill issue, bill discount;
— issue and sale of propershares;
— international conversion of individual currency;
— receiving client's funds and shares on trust.
NKB Progress has correspondent relations with the biggest foreign banks: Chase Manhattan Bank, National Westminster Bank, Banque Nationale de Paris, Deutsche Bank, Lombard Nat West Bank (Cyprus) and others.
Prompt payments in 1-2 days are affected through clearing system, including 1000 leading banks in Russia and CIS countries.

Central office: Dmitrievskaya bashnia, Kreml, Nizhny Novgorod, 603082, RUSSIA.
Phone: (8312) 390696, 391708, 390858. Fax: (8312) 390948.
Telex: 612852 NCB SU.

**Тян
Любомир Индекович**
Генеральный директор

**АОЗТ
Нижегородская
зерновая компания
«ЛИНДЕК»**

Официальный дилер департамента внешнеэкономических связей и ресурсов администрации Нижегородской области. АОЗТ НЗК «Линдек» — крупнейшая зерновая компания области по обьему обеспечения сельскохозяйственной продукцией.

Основнымм видами деятельности являются:

— поставка зерновых ресурсов в Ниже городскую область (продовольственного и фуражного зерна, продуктов его переработки);
— обеспечение области сельскохозяйственной процукцйей, продуктами питания, товарами народного потребления;
— реализация продукции материально-технического назначения, производимой на предприятиях Нижегородской области (автомобили, металлы, лесная продукция, ТНП), в том числе на бартерной основе, в обмен на сельхозпродукцию;

— оптово-розничная торговля;
— транспортные перевозки;
— внэшнеэкономическая деятельность, экспортно-импортные операции;
— охранная деятельность.

Closed joint stock company «Lindek» Nizhny Novgorod — official dealer of the department of external relations and resources Nizhegorodsky province Administration.
General director — Tian Liubomir Indekhovitch.

Main activities:

— delivery of grain to the Nizhny Novgorod region (bread and feed grains and its processed products)
— supply of the region with agricultural products, foodstuff, large-scale goods
— realisation of capitalized product manu factured at the factories of Nizhny Novgorod region (cars, trucks, metals, timber products, large-scale goods), including barter

— wholesale-retail trade
— transportation
— external activity
— export-import
— protection

Welcome to our trade-mark shops and restaurant «Soraksan»

Россия, 603005, Нижний Новгород, Театральная пл. 3.
Тел: (8312) 39-07-05; 36-17-80 Факс: (8312) 36-59-26

3 Teatralnaya sq., Nizhny Novgorod, 603005, Russia.
Phone: (8312) 39-07-05; 36-17-80.
Fax: (8312) 36-59-26.

Приглашаем в наши фирменные магазины и ресторан «Сораксан»

**Щеголев
Лев Иванович**

Генеральный директор

*Российское
Акционерное
Общество
«ГАЗПРОМ»
Предприятие
«ВОЛГОТРАНСГАЗ»*

Предприятие «Волготрансгаз» Российского акционерного общества «Газпром» — одно из крупнейших предприятий газовой отрасли, осуществляющее производственно-коммерческую деятельность в двенадцати областях и республиках Центрального и Волго-Вятского экономических районов России.

В составе предприятия эксплуатируются около 12 тыс.км магистральных газопроводов, в том числе:

— Саратов — Н.Новгород — Череповец;
— Пермь — Н.Новгород — Центр;
— Уренгой — Ужгород;
— Ямбург — Тула.

Деятельность предприятия «Волготрансгаз» разносторонняя.

Сегодня это:

— транспортировка и поставка газа потребителям;
— производство товаров народного потребления;
— производство и переработка продукции сельского хозяйства.

Объем реализации газа

около 230 млрд.м³/год, в том числе по областям и республикам по прямым договорам около 40 млрд.м³/год.

603600, г.Нижний Новгород ул.Пискунова, 3/5.
Тел: (8312) 33-16-95; Телефакс: (8312) 33-58-36;
Телетайп: 151244 «Аист».

Russian joint stock company «Gasprom». Enterprise «Volgotransgas». General director — Lev Ivanovitch Stchogolev.

«Volgotransgas» of Russian joint stock company «Gasprom» is one of the biggest enterprises of gas industry realising production and commerce in twelve provinces and republics of Central and Volgo-Viatsky economical regions of Russia. It includes 12 thousand km of cross-country gas lines, such as:

— Saratov — Nizhny Novgorod — Tcherepovets;
— Perm — Nizhny Novgorod — Center;
— Urengoy — Uzgorod;
— Yambourg — Tula.

«Volgotransgas» accomplishes diverse activities:

— transportation and delivery of gas to consumers;
— production of large-scale goods;
— production and processing of agricultural products.

Volume of realisation of gas — 230 billion m³/year, including provinces, republics and 40 billion m³/year by contracts.

«Gasprom» is a trump card of Russia.

3/5 Piskoonova st., Nizhny Novgorod, 603600, Russia.
Phone: (8312) 33-16-95. Fax: (8312) 33-58-36.
Teletype: 151244 «AIST».

Газпром — козырная карта России

**Отмахов
Геннадий Филиппович**

Председатель Нижегородского
областного союза потребительских
обществ

НИЖЕГОРОДСКИЙ ОБЛАСТНОЙ СОЮЗ ПОТРЕБИТЕЛЬСКИХ ОБЩЕСТВ

Нижегородский областной союз потребительских обществ (Облпотребсоюз) — старейшая в области общественно-хозяйственная организация. Облпотребсоюз объединяет свыше 500 тыс. пайщиков и обслуживает 1 млн. 140 тыс. жителей области. В организациях Облпотребсоюза и на его предприятиях трудятся 35 тыс. человек.

На территории Нижегородской области в ведении Облпотребсоюза находятся:

— около 4 тыс. магазинов;
— 13 крупных оптово-розничных баз и объединений;
— 660 предприятий общественного питания (это 40 тыс. посадочных мест!);
— 10 консервных и овощесушильных заводов, 106 цехов по выпуску товаров народного потребления, 40 колбасных цехов, 287 заготовительно-приемных пунктов;
— 7 автотранспортных предприятий с общим парком в 3 тыс. автомашин.

Располагая таким потенциалом, Облпотребсоюз является надежным партнером для сотен предприятий и организаций в России и в странах ближнего и дальнего зарубежья. Работники потребительской кооперации готовы к деловому сотрудничеству как с индивидуальными партнерами, так и с предприятиями, хозяйствами, акционерными обществами.

603000, Нижний Новгород, ул. Маслякова, 5.
Тел.: (8312) 33 03 64. Факс: (8312) 34 17 67.
Телетайп: 151 276 (Тайга).

Regional Union of Consumer Societies of Nizhny Novgorod. Chairman - Otmakhov Gennady Phillipovitch.

RUCS is the oldest social and economical organisation uniting more than 500 thousand share-holders and serving 1 million 140 thousand inhabitants. More than 35 thousand people are employed at its organisations and enterprises. RUCS has:

— 4 thousand stores;
— 13 big wholesale-retail warehouses and associations;
— 660 public catering establishments (with occupancy capable of serving 40 thousands customers);
— 10 preserving and vegetable dehydrating factories, 106 large-scale goods producing divisions, 40 sausage producing divisions, 287 purveying centres;
— 7 motor transport enterprises with 3 thousand automobiles in their fleets.

Having such possibilities, RUCS is a reliable partner for hundreds of establishments and enterprises in Russia and CIS countries. We are ready to run business with enterprises, esteblishments, joint stock companies as well as individuals.

Do you have problems? We can solve them! Welcome - we are waiting for you.

RUCS - a very reliable partner!

5 Masliakhova st., Nizhny Novgorod, 603000, Russia.
Phone: 33-03-64. Fax: 34-17-67. Teletype: 151-276 «Tayga».

Облпотребсоюз — надежный партнер!

НЕФТО

***Вагапов
Фарит Закирович***
Генеральный директор

Объединение «НИЖЕГОРОД-НЕФТЕПРЕДУКТ»

Объединение образовано 4 февраля 1919 г. В настоящее время в состав объединения входят 30 нефтебаз, 153 автозаправочные станции.

На предприятиях и в организациях объединения трудятся более 2500 рабочих и служащих.

Объединение «Нижегороднефтепродукт» полностью обеспечивает потребности в горюче-смазочных материалах всех предприятий Нижегородской области. Созданы подразделения по расфасовке минеральных масел и последующей их реализации через розничную сеть, а также подразделения по техническому обслуживанию автомобилей, в том числе зарубежного производства.

Впервые в России объединение «Нижегороднефтепродукт» вводит безналичный расчет за нефтепродукты с использованием магнитных кредитных карт.

Объединение «Нижегороднефтепродукт» гарантирует:
— постоянный широкий ассортимент нефтепродкутов;
— бесперебойное и качественное обслуживание потребителей;
— своевременный вывоз нефтепродуктов с заводов-изготовителей.

«Nizhegorodnefteprodukt» Company.
General Director — Vagapov Farit Zakirovitch.

«Nizhegorodnefteprodukt» Company was founded on February 4, 1919. At present it comprises 30 oil bases; 153 gas stations.

Over 2500 industrial and office workers are being employed at its enterprises and organizations.

The Company meets the needs in fuels and lubricants of all the industrial enterprises of the Nizhny Novgorod Region.

The Company has created its chapters for packing mineral oils so as to subsequently sell them through a retail-shop net as well as chapters for providing service repair and maintenance of cars and trucks, including foreign-made ones.

«Nizhegorodnefteprodukt» is the first company in Russia to introduce clearing payments for its oil products using magnet credit cards.

«Nizhegorodnefteprodukt» guarantees:
— continuously available vast assortment of oil products;
— regular and high-level servise of its clients;
— timely removal of products from oil-producing plants.

603600, Нижний Новгород, ул. Грузинская, 28.
Тел. (8312) 33 93 59, 35 74 27. Факс: (8312) 35 29 51

28 Gruzinskaya st., Nizhny Novgorod, 603600, Russia.
Phone: (8312) 33 93 59; 357427. Fax: (8312) 352951.

«Нижегороднефтепродукт» — это надежно!

теплообменник

**Тятинькин
Виктор Викторович**

Генеральный директор

Акционерное общество открытого типа «ЗАВОД ТЕПЛООБМЕННИК»

Акционерное общество «Завод ТЕПЛООБ-МЕННИК» — одна из ведущих фирм страны в области разработки и производства систем и агрегатов авиационной техники. Предприятие выпускает около 4 тысяч наименований различных изделий.

Традиционно в производственной программе акционерного общества «ТЕПЛООБМЕННИК» значительное место занимают товары народного потребления и гражданской продукции. Это удобные бытовые газовые плиты различной модификации, водонагревательные колонки, теплообменники для автомобильной промышленности и многое другое. Стратегия нашего предприятия — дальнейшее развитие достигнутых результатов в области производства и сбыта продукции в новых условиях рынка.

«ТЕПЛООБМЕННИК» предлагает широкий ассортимент авиационной техники, товаров народного потребления и спецоборудования

603600, г.Нижний Новгород, пр.Ленина, 93 Телефон: (8312) 55-01-62, 55-82-68.
Телефакс: (8312) 55-06-82. Телекс: 151140 KOPT SU.

Joint stock company of an open model «Teploobmennik Plant».
General Manager: Victor V. Tyatinkin.

Joint Stock Company «Teploobmennik Plant» is one of the leading companies designing and producing aviation systems and units. The company manufactures approximately 1000 of different items.

Traditlonally JSC «Teploobmennik» produces consumer goods. These are gas stoves of different modifications, water heating columns, folding trucks of different load-carrying capacity, flasks, ironing-boards, heat exchangers for automobile irdustry and other goods. The strategy of out company is the further development of the achieved results in the sphere of the goods' production and marketing in the new market conditions.

«Teploobmennik» proposes the great variety of aviation equipment, consumer goods and special purpose machinery

93 Lenina av., Nizhny Novgorod 603600, Russia.
Phone: (8312) 55-01-62, 55-82-68. Fax:(8312) 55-06-82.
Telex: 151140 KORT SU.

НИЖЕГОРОДСКОЕ АКЦИОНЕРНОЕ
ОБЩЕСТВО ЗАКРЫТОГО ТИПА

«ТУРИСТ»

**Сергинчук
Станислав Витальевич**

Генеральный директор

**Российская ассоциация
социального туризма
Нижегородское акционерное
общество закрытого типа
«ТУРИСТ»**

Нижегородское акционерное общество закрытого типа «Турист» организует:

экскурсионные путешествия во все города России, дальнего и ближнего зарубежья;

● ————————————————

отдых и лечение в странах СНГ, а также в Болгарии, Испании, Греции, Турции, Италии, Чехии, государствах Балтии;

● ————————————————

деловые поездки в любую страну для участия в выставках-ярмарках и конференциях по отраслям промышленности и банковскому делу с участием зарубежных специалистов;

● ————————————————

круизы по рекам России, Средиземному морю, вокруг Европы и по странам Индийского океана;

● ————————————————

прием туристов и делегаций в Нижнеи Новгороде на любое количество дней.

Russian association of social tourism. Joint stock company «Tourist» Nizhny Novgorod. One of the oldest tourist firms in Russia. General director — Sergintchook Stanislav Vasilyevitch.
Attends to individual and group requests.
Joint stock company «Tourist» organizes:

● ————————————————

Journeys and excursions to all cities of Russia, CIS countries and abroad.

● ————————————————

Organization of rest and treatment in Russia and abroad in Bulgaria, Spain, Greece, Turkey, Italy, Czekhia, the Baltic countries.

● ————————————————

Business trips to any country for the purpose of participation in exhibition and sale as well as in conferences aimed at different branches of industry and banking with the help of foreign specialists.

● ————————————————

Tours along Russian rivers, Mediterranean Sea, around Europe and countries of Indian Ocean.

● ————————————————

Receiving tourists and delegations in Nizhny Novgorod for any number of days.

603600, Нижний Новгород, ул. Суетинская, 23.
Тел. (8312) 33-84-97; 33-66-70; 33-85-90.
Телетайп: 151575 «Гора». Факс: (8312) 33-97-84.

23 Suetinskaya st., Nizhny Novgorod, 603600, Russia.
Phone: (8312) 33-84-97, 33-85-90. Teletype: 151557 «GORA». Fax: (8312) 33-97-84.

Отдых с нами — отдых без проблем!

**Смирнов
Игорь Валерьевич**

Директор фирмы

**Фирма «СММ»
Книги, брошюры,
буклеты, настенные
календари,
плакаты,
рекламные издания**

Фирма «СММ», образовавшаяся в 1991 году, в короткие сроки заняла уверенное положение среди книгоиздающих организаций Нижнего Новгорода. Тесное сотрудничество с Тверским полиграфкомбинатом детской литературы, а также прочная материальная база позволила фирме за два с небольшим года выпустить в свет 20 изданий книг общим тиражом свыше 2 млн.экз. Основное внимание фирма «СММ» уделяет детской литературе.

В красочном оформлении, с оригинальными иллюстрациями вышли:

— «Английские сказки»;
— «Три повести о Малыше и Карлсоне»;
— «Пеппи - Длинныйчулок»;
— «Рони, дочь разбойника»;
— «Мио, мой Мио».

Очень популярны специальные издания фирмы «СММ» «Кулинария для всех» и «Кондитерские изделия».

Firm «CMM»: books, brochures, booklets, calendars, posters, promotional materials. Director — Igor Valerievitch Smirnov.
Firm «CMM» founded in 1991, occupied in a very short time a sure status between publishing companies of Nizhny Novgorod. Closed cooperation with Tver's printing plant and solid resource base made possible the publishing of 20 issues of books with editions of more than 2 million copies during 2 years. «CMM» pays particular attention to children`s literature.

— «English tales»;
— «Three stories about Kiddy and Carlson»;
— «Pippy Longstocking»;
— «Rony a daughter of a robber»;
— «Mio my Mio».

This books were published nicely designed with original illustrations.

Such special publications as «Cooking for everybody» and «Confectionary» are the most popular.

Firm «CMM» is ready for cooperation with publishing organisations and enterprises

603000, Нижний Новгород, ул.Короленко, д.19а, 62.
Тел: (8312) 34-00-62. Факс: (8312) 34-00-62.

19a-62 Korolenko st., Nizhny Novgorod, 603600, Russia.
Phone: (8312) 34-00-62. Fax: (8312) 34-00-62.

**Фирма «СММ» готова к сотрудничеству
с издающими организациями и предприятиями**

ОГЛАВЛЕНИЕ

Юрий Андреевич Адрианов
Валерий Анатольевич Шамшурин
«СТАРЫЙ НИЖНИЙ»

Историко-литературные очерки

Редактор
В.Знаменщиков
Художественно-технический редактор
В.Кременецкий
Корректор
О.Сорокина

ЛР №061887

Подписано к печати 01.08.94
Формат издания 84 X108/16, бумага мел. офс.,
гарнитура Бодони, печать офс., 15 печ.л.,
тираж 30.000 экз.

Издательство «СММ»
603000, Н.Новгород, ул. Короленко, 19 а

Типография   Финляндия

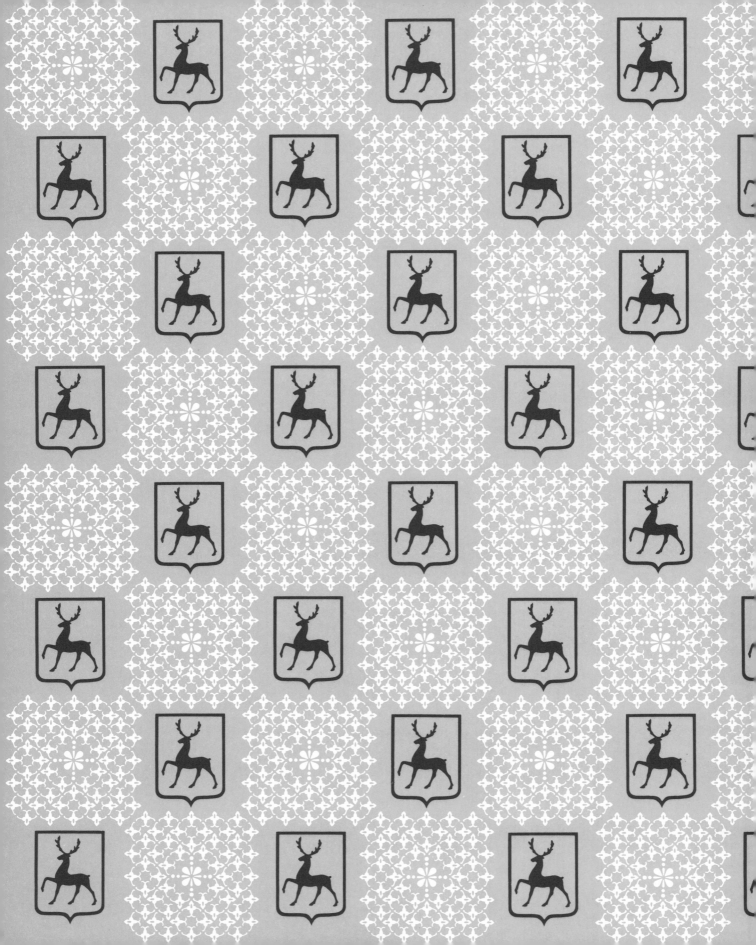